ENTRAÎNEZ-VOUS

VOCABULAIRE

Niveau Débutant

Jean-Marie Cridlig

Jacky Girardet

27, rue de la Glacière 75013 Paris
Vente aux enseignants : 18, rue Monsieur le Prince 75006 Paris

INTRODUCTION

Plus ou moins mis à l'écart par les méthodologies de l'enseignement des langues qui ont prévalu ces dernières décennies, le vocabulaire a pourtant toujours été considéré par les étudiants comme un objectif prioritaire.

Certes, le temps n'est plus où les méthodes imposaient aux élèves un régime pauvre en vocabulaire et où les mots nouveaux, notés à la dérobée sur des carnets secrets, ne pouvaient être appris que dans la clandestinité. L'utilisation des documents authentiques et les approches communicatives ont mis fin à l'époque des grandes restrictions lexicales et les apprenants peuvent à nouveau satisfaire leur appétit, voire leur boulimie de mots. Par ailleurs, les techniques de créativité (remue-méninges, jeux avec les mots, etc.) suscitent une grande variété d'activités de mobilisation et de recyclage du stock lexical.

Mais, entre les activités de découverte du vocabulaire et celles qui permettent sa révision, un manque se fait sentir : celui d'un lieu où s'effectuerait un véritable travail de conceptualisation et de mémorisation, où les mots rencontrés au hasard des textes et des apports ponctuels seraient mis en relation dans des organisations, stockés et disponibles dans la mémoire de l'apprenant.

C'est ce travail d'apprentissage systématique que visent les ouvrages *Vocabulaire niveau débutant* et *Vocabulaire niveau intermédiaire* se complétant et s'enrichissant mutuellement.

Vocabulaire niveaux débutant et intermédiaire se présentent comme une suite d'exercices autocorrectifs (voir Corrigés page 120).

Chaque exercice propose :

• **la découverte d'un ensemble lexical limité et homogène** organisé autour d'un thème concret, d'une notion ou d'une idée générale, d'une structure fondamentale de la pensée, d'un acte de parole, d'un schéma situationnel, narratif, descriptif, logique, etc. Un index répertoriant les thèmes abordés dans chaque exercice (voir page 143) permet les recherches personnelles, l'enrichissement progressif et la capitalisation des connaissances.

Par ailleurs, les exercices ont été regroupés thématiquement à chaque double page et autour de six domaines généraux.

• **un travail de réflexion sémantique et culturelle** qui peut, dans certains cas, déboucher sur une activité de production, mais qui a surtout pour objectif d'explorer et d'affiner le sens des mots (polysémie, synonymie, antonymie, etc.), d'initier aux systèmes de production lexicale (dérivations, mots composés, emplois figurés, etc.) et de favoriser la mémorisation de l'ensemble lexical.

Compléments utiles à toute méthode, ces ouvrages de *Vocabulaire* sont des outils qui peuvent être utilisés aussi bien pour une révision systématique du lexique que pour une recherche ponctuelle (préparation à la lecture d'un texte, à une production écrite, à un jeu de rôles, etc.).

© Clé International, 1992 - ISBN 2.19.033331.8

S O M M A I R E

SOMMAIRE

CULTURE ET LOISIRS

LE TRAVAIL

LA DESCRIPTION ET LE RÉCIT

L'HOMME

Le corps humain

1 LES PARTIES DU CORPS

Le test du bonhomme permet de connaître le développement mental d'un enfant. Voici différents dessins qu'un enfant a effectués entre 3 et 13 ans.

Rédigez un commentaire de l'évolution des détails et des formes.

Psychologie et éducation (tome III), J. Leif, Nathan

«À 3 ans, il ne dessine que...»

2 LES PARTIES DU CORPS (DÉTAILS)

Regroupez les 30 éléments suivants selon les six principales parties du corps humain.

Soulignez les mots qu'on trouve généralement au pluriel.

la cheville	le genou	la paume
le cil	la hanche	le poignet
le cou	l'index	la poitrine
le coude	la lèvre	le pouce
la cuisse	la mâchoire	le sein
le doigt	le menton	le sourcil
le dos	le mollet	la taille
l'épaule	l'œil	le talon
la fossette	l'ongle	la tempe
le front	l'orteil	le ventre

la tête : le cil, le cou (entre la tête et le tronc),...

le tronc   : ...

le bras   : ...

la main   : ...

la jambe   : ...

le pied   : ...

3 | LE VISAGE

Les metteurs en scène ont-ils choisi les bons acteurs ?
Comparez ces portraits, extraits d'œuvres littéraires, et la photo des
acteurs qui ont été choisis pour interpréter ces personnages au cinéma.

Daniel Auteuil
dans le film Jean de Florette

Ugolin

Il venait d'atteindre ses vingt-quatre ans... Il n'était pas grand, et
maigre comme une chèvre, mais large d'épaules, et durement musclé. Sous
une tignasse rousse et frisée, il n'avait qu'un sourcil en deux ondulations
au-dessus d'un nez légèrement tordu vers la droite, et assez fort, mais heureusement raccourci par une moustache épointée qui cachait sa lèvre ;
enfin ses yeux jaunes, bordés de cils rouges, n'avaient pas un instant de
repos, et ils regardaient sans cesse de tous côtés, comme ceux d'une bête
qui craint une surprise. De temps à autre, un tic faisait brusquement
remonter ses pommettes, et ses yeux clignaient trois fois de suite.

Marcel Pagnol, *Jean de Florette,* Éditions Pastorelly 1971

Lisbeth

Lisbeth Fischer, de cinq ans moins âgée que Mme Hulot, et néanmoins
fille de l'aîné des Fischer, était loin d'être belle comme sa cousine [...]
Paysanne des Vosges, dans toute l'extension du mot, maigre, brune, les
cheveux d'un noir luisant, les sourcils épais et réunis par un bouquet, les
bras longs et forts, les pieds épais, quelques verrues dans sa face longue et
simiesque, tel est le portrait concis de cette vierge.

Balzac, *La Cousine Bette,* 1847

Alice Sapritch
dans La Cousine Bette *(téléfilm)*

4 | LES PARTIES DU CORPS ET LES OBJETS

Combinez à l'aide de la préposition de (du, de la) les mots
de la colonne A avec certains mots du groupe B.
Donnez le sens des expressions ainsi constituées.

A
la tête
le front
les dents
la bouche

le(s) bras
le(s) pied(s)

B
la table – le fauteuil – le lit – la langue – le peigne – la scie – l'épingle –
la montagne – le fleuve – la mer – le pont – l'égout – le métro – l'incendie –
la lecture – la bataille.

Exemple : la tête du lit – la tête d'une épingle.

2 L'activité physique

1 LES POSITIONS DU CORPS

a) Vous êtes professeur de yoga.

Quelles directives donneriez-vous à vos élèves pour qu'ils prennent
les positions des personnages suivants ?

Utilisez :

> *Mouvements des membres* : lever… /baisser… plier… croiser… écouter…
> allonger… étirer… poser… passer…
>
> *Mouvements généraux du corps* : se pencher – se courber – se renverser –
> s'asseoir – s'allonger – se (re)lever – être assis/debout/, etc. – se tenir pen-
> ché/, etc.

b) Quels conseils donneriez-vous aux sportifs suivants pour
qu'ils adoptent une bonne position ?

– au skieur pour qu'il descende rapidement

– au joueur de tennis

– au joueur de golf quand il frappe la balle avec son club

– au plongeur

– au boxeur

2 LES DÉPLACEMENTS

Un petit groupe de soldats avance en territoire ennemi.

Imaginez les obstacles, les lieux, les événements qui peuvent les faire :

– courir – reculer – accélérer – glisser – grimper – patauger – errer – trébucher – sauter – tomber – ramper.

Exemple : Ils courent en traversant un terrain découvert.

3 LES ATTITUDES ET LES MOUVEMENTS

Dans *La Jalousie*, Alain Robbe-Grillet décrit avec précision les attitudes et les mouvements d'un personnage (qu'il nomme par la lettre A…).

Lisez l'extrait ci-contre et complétez le tableau.

Mouvements et déplacements	Positions et attitudes
A… referme la porte	A… est adossée à la porte
…………………………	…………………………

Adossée à la porte intérieure qu'elle vient de refermer, A…, sans y penser, regarde le bois dépeint de la balustrade, plus près d'elle l'appui dépeint de la fenêtre, puis, plus près encore, le bois lavé du plancher.

Elle fait quelque pas dans la chambre et s'approche de la grosse commode, dont elle ouvre le tiroir supérieur. Elle remue les papiers, dans la partie droite du tiroir, se penche et, afin d'en mieux voir le fond, tire un peu plus le casier vers elle. Après de nouvelles recherches, elle se redresse et demeure immobile, les coudes au corps, les deux avant-bras repliés et cachés par le buste – tenant sans aucun doute une feuille de papier entre les mains.

Elle se tourne maintenant vers la lumière, pour continuer sa lecture sans se fatiguer les yeux. Son profil incliné ne bouge plus.

Robbe-Grillet, *La Jalousie*,
Les Éditions de Minuit (1957)

En utilisant le même tableau, imaginez et notez les mouvements, les déplacements et les attitudes des personnages suivants :

– Nicole vient de rompre avec son petit ami. Elle erre dans les rues du centre-ville…

– Julien arrive essoufflé devant l'immeuble où habitent ses parents. Il vient leur annoncer une grande nouvelle…

– Hervé, un jeune homme timide, est allé à la soirée que donne un de ses amis. Il espère pouvoir bavarder seul avec Stéphanie. Mais il y a beaucoup de monde à cette soirée et de nombreux garçons s'intéressent à la jeune fille…

3
Les sens

1 | LA VUE

Complétez avec un verbe de la liste.

La légende de Lusignan et de Mélusine

Un jour, le chevalier de Lusignan… dans la forêt une très belle jeune fille. Celle-ci le… d'un étrange regard et le jeune homme tombe amoureux d'elle. La jeune fille, qui s'appelle Mélusine, accepte d'épouser Lusignan, mais à une condition : il pourra tous les jours… le corps de sa femme sauf le samedi. Ce jour-là, il n'aura pas le droit de la … nue. Lusignan promet, épouse Mélusine qui lui apporte la richesse, un magnifique château et trois enfants.

Lusignan… bientôt que tous les samedis sa femme quitte le château. Jaloux, il décide de la …

Le samedi suivant, Mélusine sort du château et prend le chemin de la rivière. Lusignan la suit et l'… de loin.

Arrivée au bord de l'eau, la jeune femme se déshabille. Lusignan est étonné. Il n'arrive pas à … les jambes de sa femme. Il s'approche de Mélusine qui nage dans la rivière. Horreur ! Son épouse s'est transformée en monstre, moitié femme, moitié serpent. Quand elle … le regard de son mari… sur elle, Mélusine disparaît. Lusignan ne la … plus. Pourtant, la jeune femme reviendra toutes les nuits au château pour … sur ses enfants.

> contempler
> observer
>
> veiller (sur)
>
> voir
>
> revoir
>
> apercevoir
>
> distinguer
>
> remarquer
>
> fixer (des yeux)
>
> poser (le regard, les yeux) sur…
>
> surveiller

2 | L'OUÏE

L'intensité des bruits se mesure en décibels (dB).

Classez les bruits suivants du plus fort au plus faible.

Essayez de déterminer leur intensité en décibels.

Caractérisez ces bruits avec les adjectifs ci-dessous.

140 dB →	seuil de la douleur
130 dB →	....
120 dB →	....
110 dB →	....
100 dB →	....
80 dB →	....
60 dB →	....
40 dB →	....
20 dB →	....
10 dB →	....
0 dB →	silence absolu

a. klaxon de voiture (à 4 mètres)

b. coup de tonnerre (très rapproché)

c. chuchotements (à 1 mètre)

d. tic-tac de montre (collée à l'oreille)

e. grondement de réacteur d'avion (à 10 mètres)

f. circulation routière intense

g. cris d'un bébé (à 2 mètres)

h. bruissement des feuilles d'un arbre

i. orchestre pop (à 10 mètres des baffles)

Exemple : 80 dB → klaxon de voiture (assourdissant).

> un son imperceptible – faible – étouffé – doux – fort – bruyant – tonitruant – assourdissant – aigu – perçant/sourd.

3 LES SENSATIONS

a) **Dans les deux scènes suivantes relevez ce que perçoivent les personnages. Classez les sensations dans le tableau.**
   Quel effet produisent ces sensations ?
   Montrez qu'une sensation peut en évoquer une autre.
   («Des odeurs de nuit... rafraîchissaient mes tempes.»)

> *(Une jeune femme, Emma Bovary, vient de vivre un intense moment d'amour.)*
>
> Les ombres du soir descendaient ; le soleil horizontal, passant entre les branches, lui éblouissait les yeux. Çà et là, tout autour d'elle, dans les feuilles ou par terre, des taches lumineuses tremblaient, comme si des colibris, en volant, eussent éparpillé leurs plumes. Le silence était partout ; quelque chose de doux semblait sortir des arbres ; elle sentait son cœur, dont les battements recommençaient, et le sang circuler dans sa chair comme un fleuve de lait. Alors, elle entendit tout au loin, au-delà du bois, sur les autres collines, un cri vague et prolongé, une voix qui se traînait, et elle l'écoutait silencieusement, se mêlant comme une musique aux dernières vibrations de ses nerfs émus.
>
> Flaubert, *Madame Bovary*

> *(Le narrateur est en prison. La veille, il a été condamné à mort pour meurtre.)*
>
> ...je me suis réveillé avec des étoiles sur le visage. Des bruits de campagne montaient jusqu'à moi. Des odeurs de nuit, de terre et de sel rafraîchissaient mes tempes. La merveilleuse paix de cet été endormi entrait en moi comme une marée. À ce moment, et à la limite de la nuit, des sirènes ont hurlé. Elles annonçaient des départs pour un monde qui maintenant m'était à jamais indifférent.
>
> Camus, *L'Étranger*, Gallimard (1957)

Visions	Sons et bruits	Odeurs	Autres sensations (toucher, goût, impressions)
«les étoiles» (calme, beauté, sensation d'infini)	....	....	....
....	....	....	....

b) **Imaginez les sensations que l'on peut avoir dans les lieux suivants :**

– au bord de la mer, un jour de tempête,

– dans une cave,

– dans la forêt tropicale,

– un soir de première à l'Opéra.

4
Les états physiques

1 LES SENSATIONS PHYSIQUES

a) Reliez les sensations physiques à leur cause.

Causes – États physiques	Sensations – Comportements
– avoir faim	– transpiration
– avoir soif	– pâlir, être paralysé, trembler, s'évanouir
– être épuisé	– avoir une légère douleur à l'estomac, un léger vertige
– être nerveux, excité	– remuer, bouger constamment
– être en colère	– avoir la gorge sèche
– avoir chaud	– rougir, s'étouffer, accélération du cœur
– avoir froid	– avoir envie de s'allonger, avoir des courbatures
– avoir peur	– trembler, frissonner

Un bon mime est capable de traduire des états physiques uniquement par gestes.

b) Comment mimeriez-vous les états physiques ci-dessus ?

Exemple : la faim : enfoncer la main dans le creux de l'estomac, rentrer les joues, porter la main à la bouche comme pour manger.

Le mime Yves Rion

2 LA FORME ET LA FATIGUE

Dans la publicité page 13, relevez les mots et expressions qui évoquent :
- la fatigue,
- la forme physique.

Imaginez une publicité pour :
- des cachets contre le mal de mer,
- un produit alimentaire (biscuit ou chocolat) pour couper la faim que l'on peut ressentir entre les repas,
- une tisane pour dormir.

Vivre sous pression, stressé, surmené. S'épuiser toute la nuit à chercher le sommeil. Se lever du pied gauche, les nerfs à fleur de peau. Collectionner les traitements de choc comme un boxeur les mauvais coups. Ou alors, traiter le mal par la nature. Tout simplement. Avec Aubeline : Arkogélules d'aubépine.

AUBELINE

AUBÉPINE

50 Arkogélules

Oui, découvrir les vertus bienfaisantes et l'efficacité des plantes médicinales dans Aubeline. Et sentir son corps enfin se détendre, son esprit enfin s'apaiser. Retrouver enfin un sommeil vrai, profond, paisible. Et après une nuit calme, vivre une journée sereine. Être à nouveau soi-même, en paix avec la nature. Aubeline, en pharmacie.

Arkopharma–Laboratoires pharmaceutiques

3 | LE PRÉFIXE *RE-*

a) Classez dans le tableau les verbes en italique selon le sens du préfixe *re-*.

– «Nous partons. Nous essaierons de ne pas *rentrer* trop tard. Je pense que nous *reviendrons* vers 6 h.»

– «Je vais à la gare chercher un ami d'enfance. Ça fait vingt ans que je ne l'ai pas *revu.* Je me souviens. Il était venu ici pour mon mariage. Puis, il est *revenu* l'année suivante. Après, nous nous sommes perdus de vue. Je ne sais pas si je vais le *reconnaître.*»

– «Le trésorier *recherche* une erreur dans ses comptes. Il a déjà *refait* trois fois ses additions sans *retrouver* l'erreur. Il doit donc *recommencer* ses calculs.»

Sens de répétition de l'action	Sens de retour au point de départ ou à l'état initial	Autre sens
....	rentrer	....
....	....	....

b) Dans quelle(s) colonne(s) classeriez-vous les verbes suivants ?

repartir – redire – rapporter – relire – rejouer – ressortir – se recoucher.

5
La nourriture

1 LE BOIRE ET LE MANGER

7 façons de manger

- a) *Le boulimique*
  Constamment affamé, il dévore tout ce qui se consomme. C'est souvent un obèse qui se lève la nuit pour vider son réfrigérateur. Pour lui, manger est un besoin maladif.

- b) *Le gourmet*
  Son livre de chevet est le «Gault et Millau» (répertoire des meilleurs restaurants). Pour lui, manger est un art. Il aime savourer des plats recherchés et savamment cuisinés. Il sait déguster en connaisseur les meilleurs vins.

- c) *Le gourmand*
  Il a plaisir à bien manger et il mange en général de bon appétit. À la fin d'un repas, même quand il n'a plus faim, il ne refuse jamais une pâtisserie ou une glace.

- d) *Le difficile*
  Il est exigeant et méfiant. Souvent insensible aux plaisirs de la table, il mange avec lenteur et du bout des dents.

- e) *Le pressé*
  Au déjeuner, il se contente d'un sandwich. Le soir, il avale rapidement un plat quelconque.

- f) *L'adepte de la diététique*
  Pour lui, se nourrir est une activité scientifique. Il se compose des repas équilibrés et ne consomme que des produits sélectionnés. Il mâche lentement et surveille ce qu'il mange.

- g) *Le végétarien*
  Tel un fakir indien, il se contente de manger modérément et exclusivement des légumes, des laitages et des fruits.

a) Lisez le document et complétez le tableau.

Type de mangeur	Manière de manger	Type de nourriture	Philosophie de l'alimentation
boulimique	il dévore	toute espèce de nourriture	manger est un besoin maladif
....	....	....	....

b) Définissez les types de mangeurs qu'on peut trouver dans votre pays.

2 | LES ALIMENTS

a) Ranger les 40 aliments suivants sur les 8 rayons du supermarché.

Notez :

BC → Boucherie ; **CH** → Charcuterie ; **BL** → Boulangerie ; **PAT** → Pâtisserie ;
FR → Fruits ; **LEG** → Légumes ; **LAIT** → Laitage ; **PS** → Poissonnerie

agneau (m)[1] ...BC	champignons (m)	jambon (m)	pâté (m)	radis (m) ......
artichauts (m)	choux (m)	lait (m)	pêches (f)	salades (f) ......
bananes (f)	dinde (f)	lentilles (f)	petits pois (m)	saucisson (m) ......
beurre (m)	épinards (m)	morue (f)	poires (f)	saucisse (f) ......
bœuf (m)	fromage (m)	navets (m)	pommes (f)	tarte (f) ......
canard (m)	gâteaux (m)	œufs (m)	pommes de terre (f)	thon (m) ......
carottes (f)	haricots verts (m)	oranges (f)	poulet (m)	veau (m) ......
cerises (f)	haricots secs (m)	pain (m)	porc (m)	yaourt (m) ......

(1) m = masculin   f = féminin

b) Composez les menus du petit déjeuner et du dîner pour :

– un travailleur de force (déménageur, maçon, etc.)

– un enfant de dix ans

– une femme de 30 ans qui suit un régime pour maigrir

3 | LES RECETTES DE CUISINE

a) Lisez ce poème de Raymond Queneau. Relevez :

– le vocabulaire de la cuisine

– les ingrédients nécessaires à la création poétique

b) Imitez le poème de Queneau. Rédigez une recette pour :

– peindre un tableau

– devenir riche

– séduire une personne

> POUR UN ART POÉTIQUE
> Prenez un mot prenez-en deux
> faites-les cuir'comme des œufs
> prenez un petit bout de sens
> puis un grand morceau d'innocence
> faites chauffer à petit feu
> au petit feu de la technique
> versez la sauce énigmatique
> saupoudrez de quelques étoiles
> poivrez et puis mettez les voiles
>
> où voulez-vous en venir ?
> À écrire
> Vraiment ? à écrire ??
>
> Raymond Queneau, «Pour un art poétique» in *Le Chien à la mandoline*, Gallimard, 1958

4 | LA QUALITÉ DE LA NOURRITURE

Donnez le contraire des appréciations suivantes en utilisant les adjectifs de la liste.

– un plat *appétissant*
– un *bon* vin
– un fruit *mûr*
– un légume *cru*
– un steak *bien cuit*

– du pain *frais*
– un plat *savoureux*
– une viande *grasse*
– un repas *copieux*
– un dessert *délicieux*

cuit	maigre
fade (insipide)	rassis
frugal	repoussant
imbuvable	saignant
immangeable	vert

6
L'hygiène

1 LE PROPRE ET LE SALE

Que faut-il faire pour nettoyer les objets suivants ?
Quels objets utilisez-vous ? Complétez le tableau en employant
les mots de la liste.

Pour nettoyer...	il faut...	avec...
les dents		
la peau		
les cheveux		
une chemise tachée		
un meuble couvert de poussière		
une vieille armoire en bois		
le sol		
une casserole très sale		
un objet en argent		

Actions
astiquer – balayer – faire briller – brosser – cirer – dépoussiérer – frotter – laver – nettoyer – récurer – rincer – savonner

Objets et ustensiles
un aspirateur – un balai – une brosse – une brosse à dents – un chiffon – un shampooing – du dentifrice – une éponge – un gant de toilette – une machine à laver – de la poudre à laver – un produit à récurer – du savon – une serviette de toilette

2 LES EMPLOIS FIGURÉS DE «PROPRE ET SALE»

Donnez le sens des mots en italique.

Calomnies

Conversations entre deux employés de la banque TIPEX.

« Tu sais qu'on accuse Henri d'avoir pris de l'argent dans la caisse.
– Oui, c'est vraiment une *sale* histoire. Mais je suis sûr qu'il est innocent. Henri est un type *propre*. Mais il a des ennemis ici.
Un jour, il m'a dit : "Il y a deux ou trois personnes ici qui seraient contentes si j'étais renvoyé." Ce sont ses *propres* mots. Je ne veux nommer personne mais j'en connais un qui a une *sale* tête et qui...
– Alors d'après toi, tout ça c'est des calomnies qui ne sont pas *propres* à inquiéter Henri ?
– Absolument. D'ailleurs, ce matin, le directeur a pris sa défense. Je l'ai entendu de mes *propres* oreilles.»

– antipathique
– exact
– honnête
– mauvais
– susceptible de...
– à moi, à lui (sens possessif)

3 | LA TOILETTE

Lisez le texte suivant. Pour chaque personnage, relevez les caractéristiques concernant :

a) La toilette

b) Le maquillage

La toilette à travers les siècles

Dans l'Antiquité, *la reine d'Egypte Cléopâtre* passait de longues heures à sa toilette. Après le bain, ses servantes la frottaient avec des huiles parfumées. Ensuite, sur son visage, on appliquait un fard blanc et on mettait un peu de rose sur les pommettes. C'était surtout les yeux qui étaient maquillés.

Poppée, femme de l'empereur Néron, prenait son bain dans du lait d'ânesse (on entretenait un troupeau de 500 bêtes, exclusivement réservées à cet usage). Elle était ensuite maquillée avec des craies blanches et rouges que les esclaves délayaient avec leur salive.

Le roi de France *Henri III* (XVIe siècle) utilisait également les fards pour se blanchir la peau et se rougir les joues. Il se faisait aussi friser et poudrer les cheveux.

La comtesse Elzebeth (issue d'une illustre famille hongroise) a laissé un sinistre souvenir. Sur les mauvais conseils d'une sorcière qui lui avait promis l'éternelle jeunesse, elle prenait son bain dans du sang de jeune fille. Elle fut condamnée à mort pour être à l'origine de nombreux meurtres.

C'est à partir du XVIIe siècle qu'on commence en France à négliger les soins corporels. *Le roi Henri IV* se lave rarement. Sa maîtresse, Mme de Verneuil, avoue qu'il pue des pieds et qu'il empeste l'ail.

Louis XIV, comme beaucoup de ses contemporains, se contente le matin de se dégraisser le visage avec de l'alcool. Par contre, il se farde et se parfume abondamment. Evidemment, les poux prolifèrent sous les perruques.

Il faudra attendre le XIXe siècle pour que les habitudes changent...

D'après *Trois mille ans de secrets de beauté*, C. Pasteur, RTL Éditions, 1987.

4 | LE PRÉFIXE *DÉ-*

Les verbes commençant par le préfixe *dé-* sont très nombreux.

Parmi les 20 verbes ci-contre, distinguez :

a. *le type défaire/faire.* Si on supprime le préfixe on obtient un verbe de sens contraire ;

b. *le type dérouler/enrouler.* On obtient le verbe de sens contraire en remplaçant le préfixe *dé-* par le préfixe *en-* ;

c. *le type dépasser/passer.* Le préfixe *dé-* ne donne pas le sens contraire mais un autre sens. (Je *suis passé* par la rue de la République. La moto *a dépassé* la voiture.)

démonter une machine – décoller un timbre – déballer un paquet – se déshabiller – déboucher une bouteille – détacher un vêtement – déménager – décourager quelqu'un – délaver un vêtement – dégonfler un pneu – se déchausser – déposer une lettre dans la boîte – déplacer un objet – délacer ses chaussures – désarmer un soldat

La maladie et la santé

1 LA MALADIE ET LA GUÉRISON

Remettez dans l'ordre les étapes de la maladie d'Alain.

a. Alain passe une radio.

b. Les douleurs d'Alain continuent.

c. Alain entre en clinique.

d. Alain consulte un médecin.

e. On diagnostique un ulcère à l'estomac.

f. Alain est guéri.

g. Alain ressent de vives douleurs à l'estomac.

h. Alain est convalescent.

i. Le médecin lui prescrit des médicaments.

j. Alain est opéré.

2 LES SYMPTÔMES ET LES SOINS

Quels sont les symptômes qui accompagnent les maladies suivantes ?

Quels sont les soins à faire ?

– une grippe

– une angine

– une bronchite

– un rhume

– une intoxication alimentaire

– une crise d'appendicite

– une crise cardiaque

– un rhumatisme

Symptômes	Soins
– malaise général – mal à la tête, à la gorge – douleurs (au cœur, au ventre, aux muscles, etc.) – toux (tousser) – éternuements (éternuer) – fièvre – évanouissement – vomissements – diarrhée	– repos – diète – médicaments (aspirine, vitamine C, antibiotiques, anti-inflammatoire) – hospitalisation – opération

3 | LES ACCIDENTS

Dans chacun des faits divers suivants relevez :

a) la cause de l'accident

b) ses conséquences sur la santé de l'accidenté.

À Mexico, 4 personnes sont mortes et 339 ont été intoxiquées par le contenu de deux bonbonnes d'acide chlorhydrique qui sont tombées et qui ont dévalé sur 200 mètres une rue en pente avant de se briser.

Midi-Libre, 23.05.91

Frigorifiée par le poulet congelé qu'elle avait dissimulé dans son soutien-gorge, une cliente d'un supermarché de Lausanne s'est évanouie. Après avoir repris ses esprits, la Suissesse indélicate a dû s'acquitter d'une amende.

Midi-Libre, 05.06.91

Victime d'un léger malaise cardiaque lors d'un concert à Metz, Stéphane Grapelli a subi une intervention dans une clinique de Nancy, pour lui placer un pacemaker. Les médecins estiment que leur patient, âgé de 83 ans, va aussi bien que possible.

Midi-Libre, 24.05.91

Cavalier émérite, Claude Aumenier, 27 ans, de La Châtre est mort écrasé par son cheval. Probablement victime d'une crise cardiaque, l'animal s'est soudain effondré, écrasant dans sa chute le malheureux jeune homme.

Midi-Libre, 05.06.91

Un jeune cyclomotoriste domicilié à Beauvoisin, M. Nicolas Bravo, 14 ans, est entré en collision avec un autorail. L'accident s'est produit à 14 h, hier sur le passage à niveau 12 non gardé. Le cyclo-motoriste souffre de la fracture d'une jambe.

Midi-Libre, 12.05.91

Une Américaine de 31 ans a survécu au choc de son arrivée à terre, après que son parachute eut refusé de s'ouvrir entière-ment. Sa chute de 2900 m a provoqué un cratère de 30 cm de profondeur dans le sol boueux. Jill Shields souffre tout de même d'une fracture de la colonne verté-brale et d'une perte de la mémoire.

Midi-Libre, 25.05.91

Un Palois de 37 ans, Benoît de Montalembert, a été emporté hier matin par une lame déferlante sur une plage des Landes, près de Seignosse. Son corps a été retrouvé dans la matinée par un hélicop-tère de la gendarmerie.

Midi-Libre, 10.06.91

---

4 | LES EMPLOIS FIGURÉS

Relevez le vocabulaire relatif à la maladie.
Expliquez ces emplois.

MALAISE DANS L'ÉDUCATION NATIONALE

MAUVAISE SANTÉ DU FRANC
Journée de fièvre à la Bourse. Le franc chute de 4 points.

Nouvel impôt
La pilule est dure à avaler.

FRACTURE DANS L'OPPOSITION GOUVERNEMENTALE

Vive tension en Extrême-Orient

...Ne compte pas sur moi pour t'accompagner chez Rémi. La dernière fois, j'ai eu une indigestion de Beethoven. Si tu veux aller chez lui, tu iras seul. Moi, je suis vaccinée.

8
Les âges de la vie

1 LES ÉTAPES DE LA VIE

Remettez dans l'ordre les étapes de l'évolution de l'homme.
Faites-les correspondre avec les âges de la vie.

a. Il entre à l'école primaire.

b. Il se marie.

c. Il joue avec un hochet.

d. Il cherche un emploi.

e. Il pousse son premier cri.

f. Il se tient debout et marche.

g. Il entre au lycée.

h. Il tète son biberon.

i. Il prend sa retraite.

j. Il est dans la force de l'âge.

k. Il marche à quatre pattes.

l. Il sait lire et écrire.

m. Il est idéaliste.

n. Il est matérialiste.

o. Il a ses premiers doutes.

p. Il vit son premier amour.

q. Il atteint sa majorité.

r. Il dit son premier mot.

s. Il entre à l'école maternelle.

t. Il s'occupe surtout de sa santé.

u. Il fait partie d'une bande de copains.

v. Il commence à poser des questions.

w. Il s'occupe de sa vie familiale et de sa vie professionnelle.

Âges de la vie

– La naissance

– Le bébé (le nourrisson)

– La petite enfance

– L'enfance (le petit garçon/ la petite fille)

– L'adolescence

– La jeunesse

– La trentaine

– La quarantaine

– Le troisième âge

– La vieillesse

Exemple : La naissance : e, etc.

Discutez la place de certaines étapes.

2 LA VIE DES ÊTRES ET DES CHOSES

Dans la liste ci-contre trouvez les verbes qui expriment la naissance,
le développement, la vieillesse et la mort.
Complétez le tableau.

	Naissance	Développement	Vieillesse	Mort
L'homme	....	....	....	....
La plante	....	....	....	....
La fleur	....	....	....	....
Le feu	....	....	....	....
La civilisation	....	....	....	....

croître
décline
se développer
disparaître
éclater
éclore
s'épanouir
s'étendre
s'éteindre
s'étioler
se faner
faiblir
grandir
mourir
naître
pousser
progresser
vieillir

3 LA MORT

Dans le texte suivant, relevez le vocabulaire relatif :

– à la mort

– à la sépulture

– au rituel de la mort

> Les anciens Égyptiens croyaient à la vie après la mort. Les morts étaient enfermés dans un cercueil (un sarcophage) qu'on plaçait dans un tombeau où l'on mettait tout ce qui était nécessaire à la survie du défunt. La vallée des Rois est un immense cimetière où les archéologues ont découvert de magnifiques tombes.
>
> En Inde, les hindouistes incinèrent leurs morts. Pendant la cérémonie des funérailles, la famille en deuil tourne autour du bûcher en récitant des textes sacrés. Les cendres sont ensuite jetées dans une rivière, si possible dans le Gange.
>
> Les Parsis n'ont pas de sépulture : chez eux, il n'y a ni enterrement ni incinération. Les corps de ceux qui sont décédés sont placés au sommet d'une tour où ils sont dévorés par les vautours.
>
> Quand un Inuit (Eskimo des terres arctiques) sent approcher la mort, il se fait conduire loin du village et c'est seul, au milieu de l'immensité glacée, qu'il vit ses derniers moments.

4 LA BIOGRAPHIE

Lisez cette courte biographie de Mozart.

Imaginez la biographie d'un personnage de votre invention
(grand savant ou inventeur, homme politique, reine, délinquant, etc.)

1756 –	Naissance de Mozart à Salzbourg.
1760 –	Premières révélations de ses dons exceptionnels de musicien.
1762 –	Tournée dans les capitales européennes. Triomphe du jeune prodige.
1766 –	Mozart reprend ses études.
1773 –	Emploi de premier violon à Salzbourg. Premières compositions.
1777 –	Voyage en Allemagne et à Paris. Échec de sa passion amoureuse pour la chanteuse Aloysia Weber.
1781 –	Installation à Vienne. Mariage avec Constance, la sœur d'Aloysia.
1782/1788 –	Période des grandes œuvres (symphonies, opéras).
1789 –	Santé déclinante – Échec financier de ses créations.
1791 –	Mort de Mozart dans le dénuement.

9
Le caractère

1 LE CARACTÈRE ET L'APPARENCE PHYSIQUE

a) Découvrez leur caractère d'après l'aspect de leur visage.

Forme du visage
   Ronde : indépendant – rêveur – nonchalant
   Carrée : simple – concret – a le sens du commerce et des affaires
   Ovale : dominateur – ambitieux – a le sens de l'organisation
   Triangulaire : dynamique – passionné – sociable – aime l'action et la compétition

Les yeux
   Grands : curieux – tolérant – influençable
   Petits : peu ouvert aux nouveautés – intransigeant – têtu

La bouche
   Grande : expansif – généreux
   Fine : raffiné – discret
   Lèvres avancées : aventurier – impulsif
   Petite : égoïste – renfermé
   Charnue : gourmand – sensuel
   Lèvres en retrait : possessif en amour et en argent

Le nez
   Long et charnu : volontaire – séducteur – aime les plaisirs de la vie
   Long et fin : calme – romantique – esprit critique
   Court et charnu : impulsif – capricieux – direct – jovial
   Court et fin : naïf – préfère l'intimité aux grands groupes

b) Appliquez les indications ci-dessus aux personnes dont vous connaissez déjà le caractère. Ces indications sont-elles justes ?

A

B

C

2 | LE CARACTÈRE ET LE COMPORTEMENT

Voici un extrait du début d'un roman de Françoise Sagan.

Notez tout ce que vous apprenez sur le caractère et le comportement des trois personnages.

– La narratrice (une jeune fille dont la mère est décédée)

– Son père

– Anne Larsen

> Anne Larsen était une ancienne amie de ma pauvre[1] mère et n'avait que très peu de rapports avec mon père. Néanmoins à ma sortie de pension, deux ans plut tôt, mon père, très embarrassé de moi, m'avait envoyée à elle. En une semaine, elle m'avait habillée avec goût et appris à vivre. J'en avais conçu pour elle une admiration passionnée qu'elle avait habilement détournée sur un jeune homme de son entourage. Je lui devais donc mes premières élégances et mes premières amours et lui en avais beaucoup de reconnaissance. A quarante-deux ans, c'était une femme très séduisante, très recherchée, avec un beau visage orgueilleux et las, indifférent. Cette indifférence était la seule chose qu'on pût lui reprocher. Elle était aimable et lointaine. Tout en elle reflétait une volonté constante, une tranquillité de cœur qui intimidait. Bien que divorcée et libre, on ne lui connaissait pas d'amant. D'ailleurs, nous n'avions pas les mêmes relations : elle fréquentait des gens fins, intelligents, discrets, et nous des gens bruyants, assoiffés, auxquels mon père demandait simplement d'être beaux ou drôles. Je crois qu'elle nous méprisait un peu, mon père et moi, pour notre parti pris d'amusements, de futilités, comme elle méprisait tout excès.
>
> Françoise Sagan. *Bonjour tristesse*,
> Julliard, 1954

[1] «pauvre» signifie ici que la mère est décédée

3 | LES SUFFIXES -(I)TÉ ET -EUX/EUSE

Le suffixe -ité ou -té

Il permet de nommer certaines qualités (ou défauts) psychologiques. Le nom se forme à partir de l'adjectif.
généreux → la générosité

a) Donnez le nom correspondant

naïf (naïve) – oisif (oisive) – timide – habile – gai – infidèle – bon

b) Donnez l'adjectif correspondant (masculin et féminin)

l'activité – la curiosité – l'originalité – la fidélité – la causticité – la fierté

Le suffixe -eux/euse

Il permet de fabriquer un adjectif à partir de certains noms de sentiment ou de caractère
l'orgueil → orgueilleux/orgueilleuse

a) Donnez le nom correspondant

paresseux – astucieux – peureux – audacieux

b) Donnez l'adjectif correspondant

la vanité – la joie – le malheur – l'amour

NB : *Ces adjectifs peuvent, dans la plupart des cas, être des noms.*
il est oisif → un oisif   il est paresseux → un paresseux

10
Les sentiments

1] LES SENTIMENTS

Placez les sentiments suivants dans le diagramme

la satisfaction	le bonheur	l'insatisfaction	le regret	la mauvaise humeur
l'optimisme	le plaisir	la joie	l'orgueil	le bonheur
la haine	l'indifférence	le dégoût	la gaieté	la jalousie
la tristesse	l'antipathie	la sympathie	la bonne humeur	la convoitise
l'amour	la nostalgie	le souci	l'ennui	la tendresse
le regret	la pitié	l'agressivité	le désespoir	le pessimisme

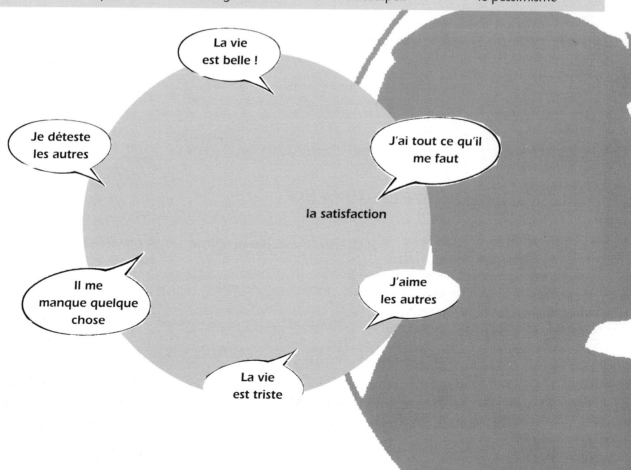

La vie est belle !

Je déteste les autres

J'ai tout ce qu'il me faut

la satisfaction

Il me manque quelque chose

J'aime les autres

La vie est triste

2 L'AMOUR ET LA HAINE

Décrivez l'évolution des sentiments des trois couples suivants.
Utilisez le vocabulaire donné sous le tableau.

	Florence et Adrien	Michèle et François	Agnès et Daniel
Premiers regards	chez des amis	dans la rue	au bureau
Premiers mots	5 minutes après	2 ans après	une semaine après
Premier baiser	20 minutes après	5 ans après	un mois après
Mariage	un mois après	un mois après	20 ans après
Situation 10 ans après le mariage	disputes de plus en plus fréquentes	entente parfaite	
Situation 20 ans après le mariage	divorcés	François est en prison pour avoir assassiné Michèle	entente parfaite

– éprouver de la sympathie, de l'amitié, de l'affection pour…

– être attiré, fasciné par…

– tomber amoureux (de…), un coup de foudre, séduire

– aimer bien, aimer, adorer, être fou de…

– un flirt, une aventure, une passion

– éprouver de l'indifférence, du dégoût, de la haine

– détester, haïr quelqu'un

– tromper quelqu'un, être jaloux (la jalousie)

– se séparer (une séparation) divorcer (un divorce)

3 LES ATTITUDES ET LES SENTIMENTS

Faites correspondre les sentiments, les attitudes et les mots qui les traduisent.

Sentiments

– la gaieté
– la peur
– l'indifférence
– le dégoût
– la tristesse
– la honte
– la satisfaction
– la nervosité

Attitudes

a. pleurer
b. rougir
c. se frotter les mains
d. rire
e. faire la moue
f. se ronger les ongles
g. hausser les épaules
h. trembler

Paroles

1. «C'est effrayant !»
2. «C'est très amusant !»
3. «Je suis malheureux.»
4. «Je viens de faire une bonne affaire.»
5. «Je n'aime pas beaucoup ça.»
6. «Ça m'est égal.»
7. «Mon Dieu ! Mon Dieu ! Le temps passe et il n'arrive pas…»
8. «Je n'aurais jamais dû faire ça.»

L'ENVIRONNEMENT

11
La maison

1 LES TYPES D'HABITATION

a) Faites correspondre le type d'habitation avec sa définition

1. un immeuble	a. maison de montagne, en bois, au large toit en pente
2. un château	b. habitation à loyer modéré
3. une tour	c. construction très élevée
4. une villa	d. habitation collective à plusieurs étages
5. un hôtel particulier	e. petite construction, généralement en bois
6. une H.L.M	f. bâtiment pour le logement et les activités agricoles à la campagne
7. une cabane	g. vaste bâtiment des siècles passés avec parc
8. une ferme	h. belle maison des siècles passés située en ville
9. un pavillon	i. maison avec jardin à l'écart du centre de la ville
10. un chalet	j. petite maison avec jardin située dans la banlieue parisienne

b) Trouvez (ou imaginez) des titres de films qui auraient pour décor principal les différents types d'habitation ci-contre.

Exemple : Immeuble : le mystérieux locataire du 3e gauche.

2 L'INTÉRIEUR DE LA MAISON

Imaginez le logement de ces personnages.

Décrivez :

– *L'aspect général* : ancien/moderne, propre/vétuste – sale, grand – spacieux – vaste/petit – minuscule, large/étroit

– *Les pièces*

– *La lumière* : clair – ensoleillé/sombre – obscur

– *Les meubles*

– *La décoration*

– *Etc.*

> **René Chamfort**, 50 ans, directeur général d'une entreprise de construction automobile, et sa femme Marie-France, 45 ans, écrivain. Ils ont quatre enfants.

> **André Montreux** célibataire, 24 ans. Chômeur.

> **Hélène Bourguignon** célibataire, 38 ans. Ethnologue (souvent en mission en Afrique).

3 | L'ASPECT EXTÉRIEUR DE LA MAISON

L'habitat diffère selon les pays et les régions.

Comparez ces habitations. Expliquez leurs caractéristiques par le climat, la géographie, les activités des habitants, etc.

Utilisez le vocabulaire des formes et des matériaux (48).

Comparez :

– la forme générale

– le toit (la toiture)

– la façade, les murs

– les ouvertures (la porte, les fenêtres, les volets, etc.)

Maisons thaïlandaises

Villa mexicaine

Maison russe

4 | LA CONSTRUCTION

Gérard est fier. Il a construit lui-même sa maison. Il raconte.

Imaginez son récit après avoir remis dans l'ordre les étapes de la construction.

a. Coller les papiers peints.

b. Creuser les fondations.

c. Poser la toiture.

d. Acheter le terrain.

e. Poser les portes et les fenêtres.

f. Installer l'électricité.

g. Faire les plans.

h. Emménager.

i. Pendre la crémaillère.

j. Construire les murs.

k. Obtenir le permis de construire.

l. Installer les sanitaires (eau, WC).

m. Faire les peintures.

J'ai tout fait moi-même. D'abord, j'ai…

12
Les objets quotidiens

1 LES MEUBLES

a) Déménagement : la famille Landré (Lucien, Geneviève et leur fils de 8 ans) déménage.
Voici le contenu de leur déménagement et le plan de leur nouvel appartement.

Geneviève a déjà prévu dans quelle pièce on va mettre chaque meuble et son emplacement précis. Imaginez sa répartition.

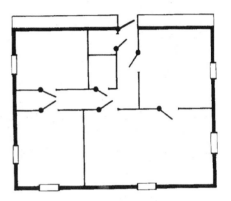

Exemple : Armoire : dans la chambre des parents, contre la cloison sans fenêtre.

Lucien n'est pas d'accord pour le lit (en 140), la bibliothèque, le bureau et les miroirs. Imaginez le dialogue entre Geneviève et Lucien.

– une grande armoire bretonne
– une petite armoire
– une bibliothèque
– un buffet Louis XVI
– un petit bureau
– un canapé
– 6 chaises Louis XVI
– 6 chaises ordinaires

– une commode
– une cuisinière à gaz
– 2 fauteuils
– un lave-vaisselle
– un lit (en 140 cm)
– un lit (en 90 cm)
– 2 miroirs
– une poubelle

– un réfrigérateur
– une table Louis XVI
– une table basse
– 2 petites tables
– 3 tables de nuit
– 4 tabourets
– 3 tapis

Imaginez un appartement original, décrivez-le.

Style des années 50

2| LES MOTS COMPOSÉS

**a) Classez les mots suivants selon leur composition grammaticale
et trouvez la fonction des objets qu'ils représentent.**

un tire-bouchon   un canapé-lit   un portemanteau
un monte-plats   un passe-partout   un radio-réveil
un haut-parleur   un grille-pain   une chaise longue
un sac poubelle   un coffre-fort   un lave-linge
un vide-ordures   un abat-jour   un coupe-circuit

nom + nom	verbe + nom	nom + adjectif	adjectif + nom	verbe + adverbe
....	....	....	....	....

b) Comment nommeriez-vous les objets suivants :

– appareil qui sert à ouvrir les boîtes de conserves

– machine qui lave la vaisselle

– objet qui permet de réunir plusieurs clés

– étoffe légère avec laquelle on recouvre le lit

– barre sur laquelle on place les serviettes dans la salle de bain

Assiette-biberon. Mamans, apprenez progressivement à vos bébés à manger dans une assiette. Celle-ci, percée au fond et munie d'une tétine en caoutchouc sert d'intermédiaire idéal entre le biberon et l'assiette.

3| LES NOUVEAUX OBJETS

Imaginez de nouveaux objets et donnez-leur un nom.

→ *mot composé* : une assiette-biberon, un chapeau-parapluie, etc.

→ *structure nom + à + nom* : la pantoufle à roulettes, le tapis à ressorts, etc.

→ *structure nom + à + verbe* : le peigne à friser, etc.

Rédigez une courte présentation publicitaire de l'objet.

© Carelman, *Catalogue des objets introuvables*, Balland, 1969

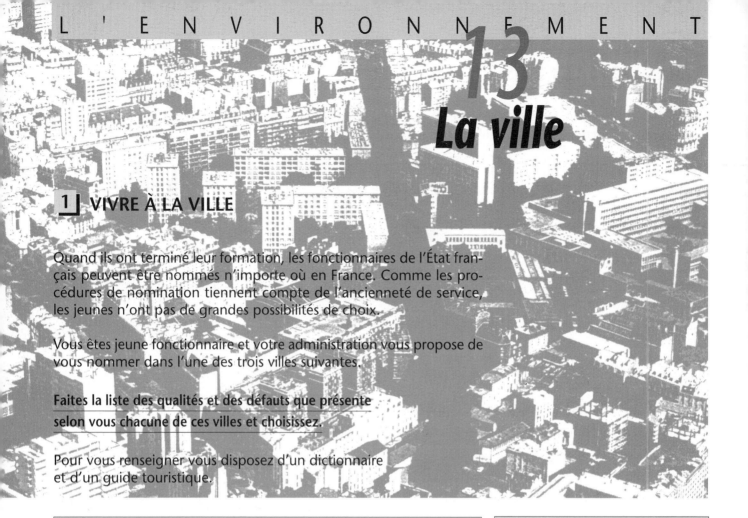

13 La ville

1 VIVRE À LA VILLE

Quand ils ont terminé leur formation, les fonctionnaires de l'État français peuvent être nommés n'importe où en France. Comme les procédures de nomination tiennent compte de l'ancienneté de service, les jeunes n'ont pas de grandes possibilités de choix.

Vous êtes jeune fonctionnaire et votre administration vous propose de vous nommer dans l'une des trois villes suivantes.

Faites la liste des qualités et des défauts que présente selon vous chacune de ces villes et choisissez.

Pour vous renseigner vous disposez d'un dictionnaire et d'un guide touristique.

ARCACHON (33120)

Un peu la résidence secondaire des Bordelais. Ville sympathique et aérée où réside une population plutôt bourgeoise et fermée. Elle possède de nombreux atouts : le site tout d'abord, profitant à la fois de la forêt, de l'Océan et du bassin, et puis un climat serein, une atmosphère animée. Une ville d'été insouciante et moderne, et une ville d'hiver, avec ses superbes villas au décor de bois, cachées dans les pins. Arcachon mérite une visite, malgré son côté chicos, ne serait-ce que pour découvrir sa superbe ville d'hiver. Et puis c'est le point de départ pour d'incontournables excursions vers des sites uniques comme l'île aux Oiseaux, le banc d'Arguin, la dune du Pyla, Cap-Ferret et la visite des parcs ostréicoles.

MONT-DE-MARSAN (40000)

Incontournable capitale du pays landais située au confluent du Midou et de la Douze, qui forme le Midouze. On ne lui trouve guère de charme. D'un revers de la main elle balaye sa tristesse pour s'éclater lors des fêtes de la Madeleine, la deuxième quinzaine de juillet. Durée : une semaine. C'est alors qu'il faut la visiter.

PÉRIGUEUX (24000)

Chef-lieu de la Dordogne, avec une population d'environ 37 000 habitants, Périgueux présente un visage aimable et serein de ville commerçante provinciale. Peu d'industries, mais on y trouve l'imprimerie nationale des timbres-poste. Quartiers anciens, ruelles médiévales à parcourir tranquillement, vieille ville gallo-romaine, autant d'occasions d'agréables promenades dans l'histoire.

Le Guide du routard Sud-Ouest, © Hachette, 1991

ARCACHON (33120), ch.-l. de cant. de la Gironde, sur le bassin d'Arcachon ; 13 664 h. (Arcachonnais). Station balnéaire et climatique. Casino. Ostréiculture. – Le bassin (ou baie) d'Arcachon, ouvert sur l'Atlantique, est le plus vaste des étangs landais (15 000 ha) et une importante région ostréicole.

MONT-DE-MARSAN (40000), ch.-l. du dép. des Landes, au confl. du Midou et de la Douze, à 687 km au sud-ouest de Paris ; 30 894 h. (Montois). Centre administratif et commercial. Musée du donjon Lacataye. Base aérienne militaire.

PÉRIGUEUX (24000), ch.-l. du dép. de la Dordogne et anc. cap. du Périgord, sur l'Isle, à 473 km au sud-ouest de Paris ; 35 392 h. (Périgourdins). [L'agglomération compte plus de 60 000 h.] Évêché. Industries alimentaires. Chaussures. Atelier d'impression de timbres-poste. Vestiges romains («tour de Vésone»). Église St-Étienne et cathédrale St-Front (très restaurée), romanes, à files de coupoles. Vieilles demeures. Musée du Périgord.

Petit Larousse illustré, 1990

2 LE QUARTIER

Quatre amis passent en revue les qualités et les défauts de leur quartier.

Imaginez leur conversation en utilisant le vocabulaire suivant :

– Un quartier populaire – résidentiel – commerçant – historique.
Le quartier des affaires.
Au centre – à la périphérie – en banlieue.

– Vétuste – délabré – ancien/neuf – moderne.

– Animé – très fréquenté – la foule – les embouteillages/désert – peu fréquenté – bruyant/tranquille.

– Pratique – équipé de – disposant de…/pas pratique – mal équipé…

Sceaux, banlieue parisienne

Quartier Belleville, Paris

3 LES LIEUX DE LA VILLE

a) Voici des ensembles de mots.

Classez les éléments de chaque ensemble en commençant par le plus grand élément. Notez les différences de sens entre les mots.

Les artères : une rue, une avenue, une ruelle, un boulevard, une impasse.

Les espaces verts : un jardin public, un square, un jardinet, un bois, un parc.

Les agglomérations : un bourg, un hameau, une cité, une ville, une agglomération.

L'habitat : un immeuble, un studio, un lotissement, une cité, un appartement.

La Défense

Avenue Mozart, Paris

b) Reliez les lieux de la ville et ce qu'on peut y faire.

– la banque
– la bibliothèque
– le commissariat de police
– la crèche
– l'église
– la mairie
– le parc
– la poste
– la préfecture
– le supermarché
– le syndicat d'initiative

a. prier
b. obtenir des renseignements touristiques
c. faire garder ses enfants
d. effectuer des formalités administratives (état civil, logement, etc.)
e. poster une lettre ou un paquet
f. déposer une plainte, un objet trouvé
g. se promener
h. effectuer des formalités administratives (cartes d'identité, passeports, papiers de voiture, etc.)
i. retirer ou déposer de l'argent
j. faire des achats
k. lire ou emprunter des livres

c) Faites la liste de tout ce que vous devez faire et de tous les lieux où vous devez vous rendre pour :

– préparer un voyage à l'étranger,
– préparer votre mariage.

14
Le ciel

1 LES PLANÈTES ET LES ASTRES

Ce qu'on peut voir dans le ciel.

Complétez la grille à l'aide des définitions.

Dans les cases grises, lisez le nom d'un astrologue du XVIᵉ siècle, célèbre pour ses prédictions.

1. Elle éclaire nos nuits. Elle peut être pleine ou vieille.
2. Il éclaire nos jours.
3. Quand la lune passe devant le soleil en plein jour.
4. Elles sont nombreuses à briller dans la nuit.
5. Phénomène météorologique coloré quand le soleil apparaît un jour de pluie.
6. Elles tournent autour du soleil.
7. Portion du ciel qui est étudiée par les astrologues.
8. Vive lueur qui précède le tonnerre.
9. Corps céleste qui tombe sur la Terre.
10. Il provoque la pluie.
11. Objet qui tourne autour de la Terre.

.... *(1500 – 1566). Médecin et astrologue, ses prédictions vont jusqu'à notre époque.*

2 VOLER

Voici le récit d'un voyage en train.

Transposez-le, en utilisant le vocabulaire du tableau de façon à en faire le récit d'un voyage dans l'espace.

Le train a quitté la gare à 7 h 25. Pendant une dizaine de minutes nous avons traversé une banlieue triste et grise, puis les maisons se sont peu à peu espacées et nous nous sommes trouvés au milieu d'un paysage magnifique. Par la fenêtre ouverte, je regardais défiler les collines vertes, les petits villages et les rivières bordées de peupliers. Un TGV nous a croisés dans un bruit infernal. Nous avons traversé un large fleuve, puis, le train a ralenti et s'est arrêté à la petite gare de Verneuil. Quelques voyageurs sont descendus. Une seule personne est montée portant deux lourdes valises. Un coup de sifflet, et lentement, le train est reparti pour sa prochaine destination, la petite ville de Castelblanc…

- un vaisseau spatial – un engin interplanétaire
(une capsule – un habitacle – un hublot)
une station spatiale – un astronaute – un équipement
– une galaxie – un système – la voie lactée

– décoller/atterrir
la mise à feu
s'envoler – voler – survoler

3 | L'AIR

Donnez le sens des mots en italique dans le texte A.

Cherchez dans le texte B des emplois figurés de ces mots.

Texte A

Cours de gymnastique en classe, un jour de pluie

«Nous allons faire un peu de gymnastique. Ça vous détendra. Patrick ! Ouvre les fenêtres pour *aérer* la classe. On *manque d'air* pur ici. Il faut pouvoir respirer à fond… Levez les bras ! *Inspirez* ! *Gonflez* la poitrine ! Mathieu ! Jette ce chewing-gum ! Tu vas t'*étouffer*… Baissez les bras ! *Expirez* lentement ! Soufflez fort pour vider vos poumons !»

Texte B

Deux chefs d'entreprise se retrouvent au café

«Dis donc ! Tu n'as pas l'air de respirer la santé…
– Écoute, je n'ai pas eu le temps de souffler depuis quinze jours. Tout va mal. Surtout la préparation du dossier pour la construction du pont sur la Seine. Mes collaborateurs font n'importe quoi. Sous prétexte qu'on a des concurrents impitoyables, Perrin a gonflé les chiffres.
– Il ne manque pas d'air !
– Oui, il est gonflé. En plus, il avait déjà fait ça il y a deux ans. Ça avait provoqué un scandale qu'on avait réussi à étouffer de justesse. J'ai eu tort de lui pardonner. Je n'ai pas été très bien inspiré ce jour-là… Mais ce n'est pas tout. Regarde ce que fait ma dactylo ! C'est illisible. Je lui ai dit de corriger ses fautes et d'aérer sa présentation… Quand je pense que les délais de remise des dossiers expirent dans quatre jours…»

4 | LES OISEAUX

a) Retrouvez les images et les idées évoquées
   par les noms d'oiseaux suivants :

– un aigle	la naissance des bébés	la supériorité
– une autruche	la mort	la grâce
– une cigogne	le bavardage	la paix
– une colombe	la répétition absurde	le printemps
– un corbeau — font penser à…	la délation	la couleur noire
– un cygne	la menace	un solide estomac
– une hirondelle	l'Alsace	le romantisme
– un perroquet	Napoléon	la course rapide
– une pie	Jupiter	le refus de regarder la réalité
	l'Australie	en face
	l'exotisme	

b) Faites, à l'intention d'un étranger, une liste des idées et des images évoquées
   dans votre pays par les noms de certains oiseaux.

15
La terre

1 LE PAYSAGE

Dans le passage suivant des personnages observent le paysage.

**a) Relevez les détails qui vous permettront de dessiner
à grands traits ce paysage.**

b) Indiquez sur votre dessin la position des personnages.

[Un avion s'est écrasé dans un endroit désert. Seuls,
quelques enfants sont rescapés. Ils décident d'explorer l'endroit.]

L'île avait à peu près la forme d'un bateau ; ramassée sur elle-même du côté où ils se tenaient, elle dévalait derrière eux vers la côte dans le désordre de ses roches. Des deux côtés, des rochers, des falaises, des sommets d'arbres et des pentes raides ; devant eux, sur toute la longueur du bateau, une descente plus douce, boisée, tachée de rose ; en bas, la jungle plate, d'un vert dense, mais s'étirant à l'autre bout en une traînée rose. Au-delà de leur île, touchant presque sa pointe, une autre île sortait de l'eau, un roc semblable à un fort qui leur faisait face, à travers l'étendue verte, défendu par un unique bastion rose et fier.

Les garçons observèrent ce cadre, puis regardèrent la mer. Ils étaient sur une hauteur. L'après-midi tirait à sa fin. Aucun mirage ne brouillait la vue.
– Ça, c'est un atoll. Un atoll de corail. J'en ai vu sur des images.

William Golding, *Sa majesté des mouches*, Traduction de Lola Tranec, Gallimard

2 LE RELIEF

Deux alpinistes ont fait le récit de leur ascension d'une haute montagne.

**Voici des phrases extraites du récit de cette ascension ;
à quel type de relief se réfèrent-elles ?**

1. La route est droite. Nous roulons vite et traversons des villages et des cultures.

2. La route monte et descend sur une dizaine de kilomètres.

3. Nous longeons une rivière. La route commence à grimper et devient sinueuse.

4. Nous y arrivons. Devant nous, la route descend. Mais nous laissons la voiture et prenons un petit chemin à droite.

un col
une colline
un glacier
une gorge
une grotte
un pic
une plaine
un plateau
un précipice
un sommet
une vallée

5. L'endroit est plat, sans arbre et battu par le vent.

6. Nous en longeons le bord en faisant très attention à ne pas avoir le vertige. Enfin, nous trouvons le petit sentier qui permet de descendre.

7. Nous sommes au fond. Une petite rivière coule entre deux hautes murailles.

8. Il pleut. Nous nous abritons à l'intérieur.

9. Il fait froid. Nous faisons attention à ne pas glisser.

10. Ouf ! Nous voilà arrivés.

11. Nous les contemplons autour de nous, brillants au soleil ou entourés de nuages.

3| LA GÉOGRAPHIE

Les affirmations suivantes sont-elles vraies ou fausses ?

	Vrai	Faux
a. Sur la terre, les zones désertiques s'étendent et gagnent chaque année une surface égale à celle de l'Autriche..........................	....	....
b. La région marécageuse de Mexico se trouve au niveau de la mer...	....	....
c. Le Jourdain coule à 400 m au-dessous du niveau de la mer............	....	....
d. Les géologues pensent que l'Atlantide est un continent disparu au fond de l'océan....................	....	....
e. Les plateaux du Tibet peuvent se trouver à 5 000 m d'altitude......	....	....
f. Le plus haut sommet du monde est l'Éverest (8 848 m)...............	....	....
g. Les plus grandes et les plus hautes chaînes de montagnes se trouvent au fond de la mer....................	....	....
h. L'Indonésie est un pays formé de 13 000 îles....................	....	....

4| LES TERRAINS

Caractérisez les types de terrains suivants en complétant la grille.

Type de terrain	Minéral correspondant	Aspects du paysage – Exemples
crayeux	la craie	Aspect blanc. Végétation rare. Les falaises de Douvres en Angleterre
pierreux		
sablonneux		
boueux		
poussiéreux		
argileux		
caillouteux		
granitique		

16
L'eau

1 LES FORMES DE L'EAU

Voici une représentation schématique du cycle de l'eau.
Placez les mots sur le schéma.

un affluent	un fleuve	la neige	un ruisseau
une cascade	un glacier	le nuage	une source
un delta	une goutte d'eau	la mer – l'océan	un torrent
une embouchure	l'infiltration	la pluie	
l'évaporation	un lac (souterrain)	une rivière (souterraine)	

2 LES TRANSFORMATIONS ET LES USAGES DE L'EAU

a) Utilisez les verbes du tableau pour décrire les transformations de la source au cours des saisons (hiver très froid, été très chaud) :

couler	s'évaporer	geler	se tarir
s'écouler	fondre	jaillir	être à sec

b) Utilisez les verbes du tableau pour décrire les évolutions du nageur :

émerger	(s')immerger	plonger	(se) mouiller
flotter	nager	(se) tremper	ruisseler

3 LA MER

Lisez ce document publicitaire sur les côtes d'Espagne.

Situez sur une carte les lieux qui sont présentés.

Recherchez les mots associés aux idées : «eau» – «côtes» – «vacances»

Notre sortie de bain s'étend de l'Atlantique à la Méditerranée.

Imaginez-vous sur cette plage paradisiaque, vous allez dans quelques minutes plonger dans une eau cristalline, chaude et limpide… Vous êtes aux Canaries. Le bleu intense de l'océan se confond avec la douceur du ciel d'azur, tel un miroir. Le soleil berce vos rêves comme dans vos plus beaux souvenirs d'enfance.
Face à vous, la mer, une immense piscine chauffée qui s'étend sur l'Atlantique, de la corniche Cantabrique, les côtes de Galice, la Costa de la Luz, jusqu'aux îles Baléares et la Costa Brava en Méditerranée, soit plus de 6 000 km de côtes, plus de 6 000 km de sortie de bain, pas moins.

Tout aussi splendides, les rivages de la Costa Dorada, la Costa del Azahar bordés d'orangeraies aux couleurs chatoyantes, la côte de Valence, la Costa Blanca, la Costa Clida et la Costa del Sol forment un chapelet de plages où le sable chaud n'attend que votre parasol.
Dans les petites criques paisibles, laissez-vous porter par un matelas pneumatique ou surfez sur les vagues des îles au vent ; votre bronzage est assuré. L'Espagne possède tous les styles de piscines «sous le soleil». Certaines sont isolées, d'autres sont animées ou franchement exotiques avec leurs fins restaurants bordés de palmiers…
À vous de choisir. Les vacances en Espagne sont très accessibles. Tout comme votre agent de voyages.

L'Espagne. Tout sous le soleil.

Télérama n° 2149, 20 mars 1991

---

4 LES POISSONS

Voici des noms d'animaux et de végétaux qui vivent dans l'eau.

Classez ces mots dans le tableau :

une algue	un castor	une huître	une moule	une sardine
une anguille	une crevette	une langouste	un nénuphar	un saumon
une baleine	un dauphin	un maquereau	un pingouin	un thon
une carpe	une écrevisse	une morue	un requin	une truite

Végétaux	Poissons d'eau douce	Poissons de mer	Crustacés et coquillages	Autres animaux

17
Le feu et la lumière

1 L'INCENDIE

Analysez le vocabulaire des deux articles suivants et complétez la grille.

Le Var en proie à un gigantesque incendie

25 août. Il aura fallu quatre jours de lutte et quatre nuits de veille aux deux mille pompiers, militaires et pilotes de Canadair[1] pour se rendre maîtres de l'incendie qui a transformé le massif des Maures en brasier. Mais 15 000 hectares de maquis et de pinèdes ont été détruits, un soldat du feu a péri et quatre autres ont été blessés, dont un très grièvement. À certains moments, les flammes ont atteint vingt mètres de haut et la fumée était visible à plusieurs dizaines de kilomètres à la ronde. L'incendie a été attisé par des vents violents et irréguliers sans qu'il soit possible de canaliser sa progression. De plus, les moyens pour le circonscrire étaient, semble-t-il, loin d'être suffisants. Particulièrement en ce qui concerne les bombardiers d'eau.

(1) Avion équipé pour la lutte contre les incendies de forêt

LES BRASIERS DU PROGRÈS

Aucune solution n'a encore été trouvée pour endiguer l'incendie de quatorze millions de vieux pneus qui, depuis déjà douze jours, enveloppe d'une épaisse fumée noire la région de Hagersville, à une centaine de kilomètres de Toronto, et projette une pluie de minuscules boules brûlantes. Des digues ont été dressées autour du gigantesque brasier pour éviter que l'huile provenant du caoutchouc fondu ne contamine les nappes phréatiques de cette contrée, réputée jusqu'ici pour la pureté de son air. Plusieurs centaines d'habitants ont été évacués. L'incendie qui résiste aux bombardements d'eau des Canadair ne sera pas maîtrisé avant plusieurs mois.

Le Figaro Magazine, 24/02/1990

Le feu et son développement	Lutte contre l'incendie et moyens de lutte	Conséquences de l'incendie

2 LES SOURCES DE LUMIÈRE

Trouvez dans la liste B des adjectifs qui peuvent caractériser les sources de lumière de la liste A.

A

un feu de cheminée	le soleil
une lampe de chevet	un phare (en mer)
une lampe halogène	un phare (de voiture)
une lampe de poche	une lanterne
une bougie	une ampoule
un cierge	un ver luisant

B

moderne	historique
pratique	naturel
romantique	rudimentaire
mystique	obligatoire
intime	bucolique
passéiste	pour amoureux de la solitude

3 | LA LUMIÈRE

Complétez avec les verbes de la liste.

a. Promenade au clair de lune. La lune .... le paysage.

b. Retour le soir à la maison. Il .... la lumière.

c. La nuit tombe. Le ciel .... Les lampadaires de la rue.............

d. Nuit claire d'été. Les étoiles ....

e. L'orage approche. Le ciel ....

f. Elle apprend une bonne nouvelle. Son visage ....

g. Une voiture me croise, pleins phares. Les phares m' ....

h. Ses bijoux .... au soleil.

allumer
s'allumer
aveugler
éclairer
s'éclairer
étinceler
scintiller
s'assombrir
s'obscurcir

4 | LES EMPLOIS FIGURÉS

a) Trouvez un synonyme pour chaque emploi des adjectifs en italique :

un élève *brillant*
des yeux *brillants*
une affaire qui n'est *pas brillante*
une société *brillante*

qui marche mal
qui est doué
étincelant
élégant

une pièce *obscure*
une nuit *obscure*
une explication *obscure*
un personnage *obscur*

sans étoiles
ignoré de tous
incompréhensible
mal éclairé

un appartement *clair*
une couleur *claire*
une eau *claire*
une explication *claire*

transparent
évident
ensoleillé
qui n'est pas foncé

une rue *sombre*
un visage *sombre*
une *sombre* histoire
un *sombre* présage

menaçant
mal éclairé
lamentable
triste

b) Donnez le sens des mots en italique :

– «Il est encore célibataire à 40 ans. Il devrait fonder *un foyer.*»

– «Allez ! Achète-toi la nouvelle Peugeot ! Tu en *brûles d'envie.*»

– «C'est un conférencier généralement *brillant*. Mais hier j'ai trouvé sa conclusion un peu *fumeuse.*»

– Le philosophe Leibniz a été l'un des *phares* de la pensée aux XVIIe et XVIIIe siècles.

– *Il n'y a pas de fumée sans feu* (proverbe).

Dans la poésie du XVIIe siècle, le vocabulaire du feu exprimait la passion amoureuse. Voici comment Phèdre (personnage d'une pièce de Racine) confesse son coup de foudre coupable pour son beau-fils Hippolyte.

«Mes yeux ne voyaient plus, je ne pouvais parler,
Je sentis tout mon corps et transir et brûler.
Je reconnus Vénus à ses feux redoutables,
…
J'ai pris ma vie en haine et ma flamme en horreur.»
Racine, *Phèdre*, 1677

18
Climats et saisons

1 LES SAISONS

Le roman de Julien Gracq, *Un balcon en forêt* se déroule pendant la guerre de 39-40 dans le massif des Ardennes. Un officier et trois soldats sont chargés de garder un fortin (petite construction fortifiée) en pleine montagne. Ils s'y installent *en octobre* mais devront attendre *le mois d'août* pour voir le premier soldat ennemi. C'est une attente d'un an qui est décrite dans le roman et *qui se déroule au fil des saisons.*

Voici, dans le désordre, huit phrases extraites de ce roman.

Reconstituez l'ordre dans lequel elles doivent apparaître

(d'octobre à août).

1. La Vienne était en crue après le dégel brusque.

2. … la pluie surprit Grange[1] … à peine eut-il atteint le plateau qu'elle tourna décidément à l'averse. Le jour baissait déjà, les nuages glissaient au ras du toit[2] …

3. Les premières chaleurs crevèrent tout de suite en orages…

4. … la fraîcheur de l'air lavé par le vent d'ouest était délicieuse : on s'enfonçait entre deux banquettes de gazon neuf.

5. Le train était vide : on eût dit qu'il desservait ces solitudes pour le seul plaisir de courir dans le soir frais entre les versants des forêts jaunes qui mordaient… sur le bleu très pur de l'après-midi…

6. La faible brume des chaleurs tremblait encore sur la chaussée rôtie par l'après-midi.

7. … la neige tomba sur l'Ardenne.

8. Vers la fin de la semaine, un brouillard qui sentait le dégel enveloppa le toit,… le temps se découvrit de nouveau sec et très clair…

Julien Gracq, *Un balcon en forêt*, J. Corti, 1958.

[1] Nom de l'officier, personnage principal du roman.
[2] Nom du lieu où se trouve le fortin.

2 LES PHÉNOMÈNES CLIMATIQUES

Classez les mots selon les indications

a) Températures : de la plus basse à la plus élevée

un temps → doux – chaud – brûlant – glacial – frais – torride – froid

b) Le vent : du plus faible au plus fort

la tempête – un vent léger – une bourrasque – un ouragan – la brise – un vent

c) Le ciel : du plus clair au plus sombre

un ciel → nuageux – ensoleillé – partiellement couvert – bas – dégagé
– brumeux – noir – couvert

d) La pluie : de la plus faible à la plus forte

une grosse pluie – un orage – une pluie fine – une averse – une ondée
– un déluge

Alaska

3 | LES CLIMATS

Rédigez une brève présentation du climat des pays ci-contre.
Utilisez le vocabulaire déjà vu dans les exercices 1 et 2
ainsi que celui du tableau.

– un climat équatorial – tropical – continental – désertique –
polaire

– la saison sèche/la saison humide, des pluies rares – régulières –
abondantes

– des températures basses/élevées – douces/rigoureuses, des
écarts importants de température.

Sahara algérien

Bali, Indonésie

4 | LE SUFFIXE -EUX

Il permet de créer des adjectifs à partir de noms.

Ces adjectifs indiquent :

– *un caractère* (voir 9) orgueil → *orgueilleux*

– *un état*
Un temps à la neige → un temps *neigeux.*
Les pluies sont fréquentes → le climat est…
Le chemin est plein de cailloux → il est…
Il vit dans la misère → c'est un…

Il a de la fièvre → il est…
Elle a souvent des migraines → elle est…
Elle a de la chance → elle est…
Le temps est couvert → il est…

– *une consistance ou une couleur*
Une peau qui a la couleur du lait → une peau *laiteuse.*
Un liquide qui a la consistance d'une pâte → un liquide…
Un lait qui contient beaucoup de crème → un lait…

19
Les animaux

1 LA VIE DES ANIMAUX

Les informations suivantes sont-elles vraies ou fausses ?

	Vrai	Faux
a. Toutes les anguilles du monde naissent au même endroit.	....	....
b. Les gorilles sont des animaux agressifs et toujours prêts à attaquer.	....	....
c. Les poules et les fourmis se droguent.	....	....
d. Chez une variété de perroquet, le mâle devient rouge lorsqu'il aperçoit une belle femelle.	....	....
e. On peut dresser les puces.	....	....
f. Un scorpion peut rester 3 ans sans manger.	....	....
g. L'homme court plus vite que les lapins.	....	....
h. Une reine termite pond 10 millions d'œufs par an.	....	....
i. La tortue peut vivre 200 ans.	....	....
j. Les baleines donnent des concerts où l'on peut reconnaître les sons de l'orgue, de la flûte et des cymbales.	....	....

2 LES ANIMAUX FANTASTIQUES

Les animaux ont toujours inspiré l'imagination des hommes. Les *sirènes* étaient des créatures mi-femme mi-poisson qui séduisaient les marins par leur beauté et par leur chant afin de les entraîner au fond de la mer pour pouvoir les dévorer. Le *Sphinx* était un lion ailé à tête de femme. La *licorne*, un cheval blanc avec une barbe de chèvre et une longue corne au front qui possédait des pouvoirs magiques.

Imaginez un animal fantastique.

Réalisez sa fiche descriptive en utilisant le plan et le vocabulaire du tableau de la page suivante.

Soyez imaginatif et créatif !

Plan de la description	Exemples de mots utilisables
Nom de l'animal	À inventer. Par exemple, en utilisant un suffixe ou un préfixe [1].
Caractéristiques physiques	Le corps – la tête – la queue – une aile – un bec – une plume – une patte – une corne – une défense – une trompe – des écailles.
Habitat	Vit dans les marécages, les greniers, etc.
Nourriture	Se nourrit de… chasse le…
Mode de vie	Solitaire – en couple – en troupeau.
Reproduction	La fécondation (féconder) – la gestation – mettre bas (= donner naissance à un animal) – pondre (des œufs), etc.
Élevage des petits	Les petits restent longtemps avec leur mère – sont indépendants dès la naissance – dévorent leurs parents, etc.

[1] Voici quelques préfixes et suffixes productifs pour créer des mots nouveaux.

Préfixes :   *télé* = à distance (télévision = vision à distance)
photo = lumière (photographe = inscription de la lumière)

Suffixes :   *-phile* = qui aime (germanophile = qui aime les Allemands)
-phobe = qui n'aime pas (xénophobe = qui n'aime pas les étrangers)
-phage ou -vore = manger (herbivore = qui mange de l'herbe)
-phore = qui porte (phosphore = qui porte la lumière).

3 | LES ANIMAUX ET LES HOMMES

Les noms des animaux sont souvent employés dans les expressions comparatives : «Il est bavard comme une pie.» – «Il a une tête de cochon.» – «Il fait un temps de chien.» (mauvais temps.)

Dans les phrases suivantes, remplacez l'adjectif en italique par une expression composée d'un nom + de + nom d'animal.

Il a une mémoire *extraordinaire* → une mémoire *d'éléphant*

– Elle le regarde avec des yeux *très doux.*

– Il a les yeux *perçants.*

– J'ai une faim *extraordinaire.*

– Il a un *petit* appétit.

– Il s'est servi et a pris la *meilleure* part.

– Elle a une *très forte* fièvre.

– Elle a mené une vie *difficile.*

– Elle a fait semblant d'être triste et a versé des larmes *hypocrites.*

un crocodile
un lion
un chien
une biche
un cheval
un oiseau
un lynx
un loup

20
Les végétaux

1 LE MONDE VÉGÉTAL

Classez les mots suivants selon les indications.

– **Du plus petit élément au plus grand :**

un buisson – la forêt – un domaine – une branche – une brindille – un bois – un bosquet – un arbre.

– **Le trajet de la sève :**

la feuille – le tronc – la nervure – la racine – la branche – la tige.

– **De la naissance de la plante à la récolte du fruit :**

a. La tige se divise en rameaux.

b. La pousse apparaît.

c. Les fleurs sont en boutons.

d. Le fruit mûrit.

e. La graine germe.

f. Les pétales de la fleur tombent.

g. La tige monte.

h. On récolte le fruit.

i. Le fruit grossit.

j. Les rameaux se couvrent de feuilles.

k. Les fleurs s'épanouissent.

l. Les fleurs éclosent.

2 LA FORÊT

Placez les arbres suivants dans le diagramme selon les zones où on peut les rencontrer

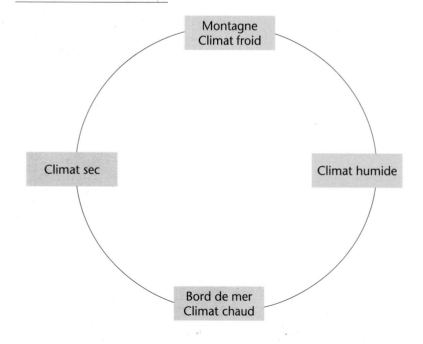

un bambou
un bananier
un baobab
une bruyère
un cactus
un cocotier
un châtaignier
un chêne
un cyprès
une fougère
un hêtre
un mélèze
un palmier
un pin
un platane
un peuplier
un sapin
un saule

3] LES FLEURS

Complétez les cases à l'aide des définitions.
Lisez verticalement dans les cases grises le nom
d'un peintre célèbre pour ses compositions florales.

1. Ce n'est pas une fleur mais quand il est à quatre feuilles, il porte bonheur.

2. Fleur blanche à nombreux pétales. On les effeuille jusqu'au dernier pour savoir si l'autre vous aime un peu, beaucoup, passionnément, à la folie, pas du tout.

3. Fleur jaune qui pousse au printemps dans les prairies humides.

4. On en voit des champs immenses en Hollande.

5. Elle porte le nom de sa couleur et symbolise la modestie.

6. Elle porte le nom d'un personnage de la mythologie grecque qui aimait trop se contempler dans l'eau d'une rivière.

7. Fleur blanche qui symbolise la pureté. Les rois de France l'avaient adoptée pour emblème.

8. Fleur au parfum très fort qui vient d'Orient.

9. Petite fleur blanche en forme de clochette. On l'offre pour le 1er Mai.

10. Petite fleur bleue qui signfie «ne m'oubliez pas».

11. On lui a donné ce nom parce qu'elle ressemble à la crête rouge du coq.

12. Elle est le symbole de l'amour.

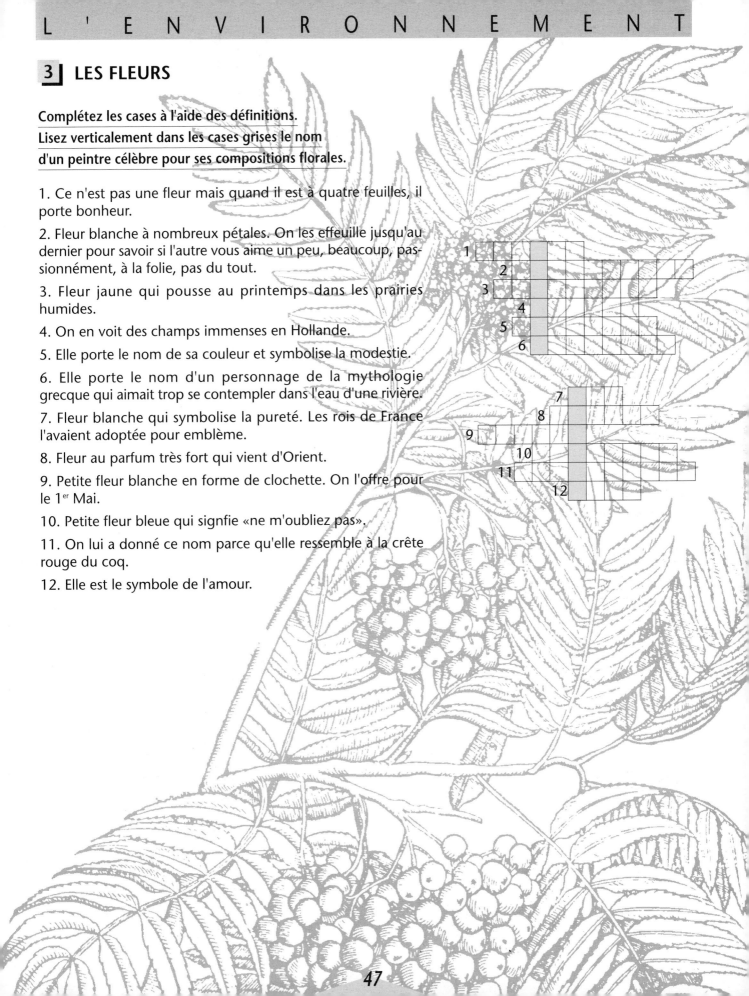

LA SOCIÉTÉ

21
Les vêtements

1 | LES VÊTEMENTS COURANTS

Répartissez dans le tableau les mots de la liste.

des bas	des chaussures	un chemisier
un chapeau	une ceinture	un costume
des chaussettes	une chemise	une cravate
un foulard	un pantalon	un slip
une jupe	un pull-over	un soutien-gorge
un manteau	une robe	une veste

	Tête et cou	Haut du corps (jusqu'à la taille)	Bas du corps	Pieds
Plutôt pour lui				
Pour les deux				
Pour elle				

2 | LES VÊTEMENTS PARTICULIERS

Dans quelles circonstances porte-t-on les vêtements suivants ?

– un anorak
– un bonnet
– des bottes
– un chapeau de paille
– une chemise de nuit
– des chaussons
– une combinaison de ski
– un imperméable
– un maillot de bain
– des pantoufles
– un pyjama
– une robe de soirée
– des sandales
– un short
– un smoking
– un survêtement
– un tee-shirt
– des tennis

à la plage

pour faire du sport

aux sports d'hiver

la nuit dans sa chambre

pour une cérémonie

un jour de pluie

3 | LES MODES

En choisissant une phrase dans chaque tableau,
rédigez une brève présentation pour chacune des modes suivantes.

Le B.C.B.G.   Le punk   Le rocker   Le baba cool   Le rapeur
(Bon chic, bon genre)

Tête
- cheveux longs et barbe
- cheveux colorés, crâne en partie rasé
- bien coiffé, cheveux mi-longs ou courts
- cheveux gominés, banane
- cheveux en brosse

Vêtements
- blouson, pantalon de jogging et baskets
- chemise ample et jeans
- blouson noir, jeans et bottes texanes
- vêtements de cuir cloutés
- vêtements de marque

Particularités
- fait de la moto, joue de la guitare électrique
- écoute un «walkman», chante en parlant de façon saccadée
- joue de la guitare
- a une philosophie négative et cynique
- se conforme aux normes

Couleurs préférées
- bleu marine ou vert foncé
(pour les femmes), gris (pour les hommes)
- noir
- noir et bleu
- couleurs variées
- très vives et bigarrées

22 Les activités quotidiennes

1 LES TÂCHES DE LA VIE QUOTIDIENNE

À quel domaine appartiennent les tâches suivantes ? Les faites-vous tous les jours, une fois par semaine ? etc.

a) Classez-les dans le tableau.

a. Faire les comptes

b. Faire le plein d'essence

c. Changer les papiers peints

d. Faire les courses

e. Faire la lessive

f. Passer l'aspirateur

g. Vérifier la pression des pneus

h. Payer le loyer

i. Trouver un cadeau pour quelqu'un (anniversaire, etc.)

j. Renouveler votre passeport

k. Faire le lit

l. Répondre à une lettre administrative

m. Changer les pneus

n. Acheter des chaussures

o. Repeindre les portes et les fenêtres

p. Acheter un costume ou une robe

q. Laver les vitres de la maison

r. Laver la voiture

s. Préparer un repas pour des amis

t. Faire la vidange de la voiture

u. Nettoyer les vitres de la voiture

v. Faire un chèque

	Maison	Voiture	Achats	Gestion-papiers
tous les jours				
de 1 à 3 fois par semaine				
tous les mois				
plus rarement				

b) Faites la liste des dix tâches qui vous paraissent les plus fastidieuses. Comparez avec celle de votre voisin(e). Ensemble, établissez une nouvelle liste commune. Faites la même chose avec un autre groupe.

2 LES ACTIVITÉS DE LOISIRS

Le document suivant analyse l'évolution des activités de loisir en France entre 1967 et 1988.

Les temps changent, les activités aussi		
Évolution de quelques activités de loisirs entre 1967 et 1988 (en %) :		
Proportion de Français ayant pratiqué l'activité suivante	1967	1988
• Regarder la télévision tous les jours ou presque	51	82
• Recevoir des parents ou des amis pour un repas au moins une fois par mois	39	64
• Être reçu par des parents ou des amis pour un repas au moins une fois par mois	37	61
• Lire une revue ou un magazine régulièrement	56	79
• Avoir visité un Salon ou une foire-exposition depuis un an	33	56
• Sortir le soir au moins une fois par mois	30	48
• Aller au restaurant au moins une fois par mois	8	25
• Avoir visité un musée depuis un an	18	32
• Avoir visité un château ou un monument depuis un an	30	41
• Faire de la couture ou du tricot de temps en temps et «avec plaisir»	28	38
• Danser au moins 5 ou 6 fois par an	20	30
• Écouter la radio tous les jours ou presque	67	75
• Participer régulièrement à au moins une association	11	18
• Faire une collection	16	22
• Jouer aux cartes ou à d'autres jeux de société chaque semaine ou presque	13	18
• Jouer de la musique régulièrement ou parfois	4	7
• Réparer une voiture de temps en temps et «avec plaisir»	10	12
• Aller au cinéma au moins une fois par mois	18	18
• Lire au moins un livre par mois	32	31
• Jardiner tous les jours ou presque à la belle saison	20	19
• Aller au cinéma chaque semaine ou presque	6	4
• Aller au théâtre au moins une fois par an	21	18
• Aller au café au moins une fois par semaine	24	17
• Assister à un spectacle sportif au moins 5 fois par an	17	9
• Lire un quotidien tous les jours ou presque	60	42

INSEE, Données sociales 1989

Relevez et commentez en comparant avec ce qui se passe dans votre pays ou dans votre entourage :

– Les 5 activités que les Français pratiquent le plus souvent en 1988.

– Les 5 activités qu'ils pratiquent le moins.

– Les activités dont la fréquence a le plus augmenté depuis 1967.

– Les activités qui sont en diminution.

Comment expliquez-vous ces évolutions ?

3 LE SUFFIXE -AGE

Il permet de former un nom à partir d'un verbe. Il indique :

– *le nom d'une action* : habiller → **habillage**
«On procède à l'habillage des mannequins avant la présentation de la collection»

– *le résultat d'une action* : coller → **collage**
«Cet artiste fait de jolis collages.»

Transformez les phrases suivantes pour mettre en valeur l'action du verbe.
Utilisez le verbe entre parenthèses pour construire la phrase.

– Dans ce quartier, on *ramasse* les ordures trois fois par semaine. (avoir lieu) → le ramassage a lieu trois fois par semaine.
– L'avion a bien *atterri.* (se dérouler)
– Ils *se sont mariés* le 1ᵉʳ septembre. (être célébré)
– Il ne faut pas *bavarder* pendant la conférence. (être interdit)
– Avec cette machine à laver, il faut mettre le bouton sur 8 pour *rincer.* (se faire)
– La cuve de mazout *se remplit* automatiquement. (se faire)
– Il faut *nettoyer* votre carburateur. (être nécessaire)

23
Famille et rencontres

1 LES MEMBRES DE LA FAMILLE

Sylvie montre à une amie la photo de groupe de son mariage.
Trouvez dans la liste les membres de la famille dont elle parle.

«Ici, c'est ma grand-mère, la mère de ma mère.

Ici, c'est..............., le père de mon père.

Là, c'est..............., la sœur de ma mère.

Là, c'est..............., le fils de mon oncle.

Là-bas, c'est..........., le père de mon mari.

À côté de lui, il y a..............., le frère de mon père et..............., la sœur de mon mari.

Derrière, c'est..............., le mari de ma sœur.

Au premier plan, il y a..............., la fille de mon frère.

Là, c'est le......... de mon frère, le mari de sa fille Jacqueline.

Et ici, c'est la .... de ma sœur, la femme de son fils Didier.»

le mari/la femme

le père/la mère (les parents)

le fils/la fille (les enfants)

le grand-père/la grand-mère
(les grands-parents)

le petit-fils/la petite-fille
(les petits-enfants)

le frère/la sœur

l'oncle/la tante

le neveu/la nièce

le cousin/la cousine

Le beau-père/la belle-mère

le beau-frère/la belle-sœur

le gendre/la belle-fille

2 LES RENCONTRES ET LES RÉUNIONS

Placez les mots de la liste dans les ensembles appropriés.

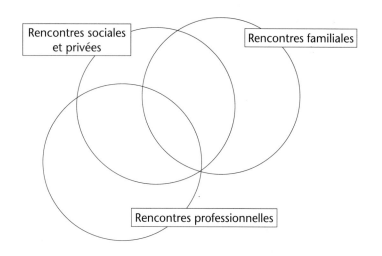

Rencontres sociales et privées

Rencontres familiales

Rencontres professionnelles

un anniversaire

un baptême

un colloque

un cocktail

la communion solennelle

un entretien

un enterrement

la fête des mères

un mariage

une réception

un rendez-vous d'affaire

un rendez-vous amoureux

une réunion de travail

le réveillon de Noël

le réveillon du Jour de l'An

un séminaire

une soirée

3 PARLER

Que devez-vous faire dans les situations suivantes ?
Choisissez un verbe de la liste.

a. Il n'a pas bien entendu.

b. Il ne vous entend pas.

c. Il n'a pas compris.

d. Il n'a pas compris un détail.

e. Vous n'êtes pas d'accord.

f. On vous pose une question.

g. Vous avez un secret à lui dire.

h. Il vous accuse et vous êtes innocent.

Il faut......	nier
baisser la voix	préciser
contredire	répéter
crier	répondre
expliquer	

4 L'INTENTION

Que font-ils quand ils prononcent ces phrases ?

a. «Et si on allait au cinéma ?»

b. «Tu devrais prendre des vacances.»

c. «Bien sûr les enfants, vous pouvez sortir jusqu'à minuit.»

d. «Oh pardon ! Je ne l'ai pas fait exprès.»

e. «Tu verras, c'est toi le meilleur. Tu gagneras !»

f. «Ne pleure pas ! Ce n'est pas grave. Demain, ça ira mieux.»

g. «Je ne ferai pas ce travail. Pas question !»

h. «Merci beaucoup ! C'est très gentil de votre part.»

s'excuser

encourager

refuser

conseiller

autoriser

consoler

suggérer

remercier

24
La morale

1 LES QUALITÉS MORALES ET LES DÉFAUTS

Quelle est selon vous la principale qualité morale qu'il faut avoir pour exercer les professions suivantes ?

– sportif professionnel

– trésorier

– vendeur dans un lieu public

– chercheur scientifique

– enseignant

– juge

– directeur d'une entreprise

– «médecin sans frontières» (qui exerce son métier dans les pays du Tiers-Monde)

ÊTRE...	impartial
clairvoyant	honnête
confiant	modeste
compréhensif	objectif
courageux	patient
courtois	persévérant
désintéressé	poli
franc	tempérant
généreux	tolérant

Trouvez les noms correspondant aux adjectifs du tableau.

Quels sont les défauts qu'on ne doit pas trouver chez ces personnes ?

clairvoyant → la clairvoyance ≠ l'aveuglement

2 LES PROVERBES MORAUX

À quels défauts ou qualités vous font penser les proverbes suivants ?

a. Qui vole un œuf, vole un bœuf.

b. Pierre qui roule n'amasse pas mousse.

c. À père avare, fils prodigue.

d. À chaque jour suffit sa peine.

e. Chacun pour soi. Dieu pour tous.

f. Qui ne risque rien n'a rien.

g. L'argent ne fait pas le bonheur.

h. À tout seigneur tout honneur.

l'avarice	la malhonnêteté
la constance	la négligence
le courage	la patience
la cupidité	la prodigalité
l'égoïsme	la paresse
la légèreté	la simplicité
la modération	le respect

3 LES VALEURS MORALES

a) Lisez ce document. Relevez les mots qui caractérisent les valeurs morales propres à chaque époque.

• *Le chevalier du Moyen Âge.* C'est avant tout un guerrier. Mais il fait toujours la guerre au service d'une grande cause. Il est courageux, généreux, loyal avec ses amis comme avec ses adversaires. Il doit aussi être fidèle à Dieu, à son roi et à la dame de son cœur. S'il démérite il perd son honneur.

• *L'humaniste de la Renaissance.* C'est un homme curieux et ouvert qui pense que le Moyen Âge a été une époque barbare et obscure. Il croit que la nature est belle et bonne. Il essaie de vivre selon des préceptes simples fondés sur le bon sens, la nature et l'art.

• *L'honnête homme du XVIIᵉ siècle.* C'est un aristocrate qui évolue dans une société mondaine et cultivée. Il doit savoir se conduire en société, se montrer courtois, charmeur, spirituel, cultivé sans être pédant. Il doit être modeste et modéré dans ses jugements.

• *Le philosophe des Lumières (XVIIIᵉ siècle).* Il lutte pour la raison, la justice, la tolérance. Il combat l'esclavage. Il croit au progrès et au bonheur.

• *L'intellectuel du XXᵉ siècle.* Il défend les grands principes de liberté, d'égalité et de fraternité. Il essaie de lutter contre toutes les formes d'oppression. Sa valeur essentielle est la personne humaine.

b) Confrontez ces modèles moraux du passé avec les résultats de cette enquête récente.

Quels sont les dix mots qui sont les plus importants pour vous ?

Pensez-vous que notre société actuelle devrait s'inspirer des valeurs morales du passé ?

Le retour de la morale

56 % des Français trouvent que la morale n'occupe pas une place importante dans la société d'aujourd'hui (pour 23 %, elle a une place assez importante, pour 4 % une place trop importante).

C'est pourquoi 59 % des Français pensent qu'il faut retrouver le sens des valeurs traditionnelles, 19 % qu'il faut inventer de nouvelles valeurs morales. Seuls 18 % pensent que la notion de morale est dépassée. Mais qu'est-ce que la morale ? 46 % des Français pensent que c'est «un ensemble de valeurs permettant d'être en accord avec soi-même et en harmonie avec la société». 20 % pensent que ce sont «des règles de vie en société», 17 % que c'est «une affaire strictement personnelle», 16 % que c'est «un faux problème : les gens seraient meilleurs si la société était meilleure».

Les grands mots

Les 10 mots les plus importants pour les Français :

• Santé	43 %
• Travail	36 %
• Amour	33 %
• Famille	31 %
• Argent	25 %
• Enfants	20 %
• Amitié	19 %
• Bonheur	17 %
• Loisirs	13 %
• Liberté	8 %

Note : Les classements sont différents selon le sexe : les femmes privilégient les valeurs familiales. Par ordre décroissant : amour, famille, enfants, amitié, bonheur, maison. Les hommes accordent la priorité à la vie active et aux activités extérieures : travail, argent, loisirs, vacances, vie, paix.

Le Point/Infométrie, janvier 1989

25
Le gouvernement

1 LES FORMES DU POUVOIR

À quelle forme de pouvoir vous font penser les mots et les formules du tableau ?

– la monarchie absolue

– la monarchie constitutionnelle

– la dictature

– la démocratie parlementaire

– la bureaucratie

– l'anarchie

une assemblée législative – l'absence de pouvoir – la constitution – un dictateur – le droit divin – une élection – le Parlement – un président – un roi – une reine – l'opposition gouvernementale – le pouvoir absolu – le Sénat – le suffrage universel – un référendum – un régime autoritaire – le pouvoir abusif de l'administration.

2 LES ÉLECTIONS

a) Pour qui vote-t-on ?

– les élections présidentielles

– les élections législatives

– les élections régionales

– les élections cantonales

– les élections municipales

– un référendum

les conseillers généraux – les conseillers municipaux – les conseillers régionaux – les députés – le maire – les ministres – le Premier ministre – le président de la République – le président de la région – les sénateurs – personne (on répond oui ou non à une question).

b) Remettez dans l'ordre les étapes de la vie du gouvernement Rocard (1988-1991). (La phrase du début est à la bonne place.)

1. 8 mai 1988. François Mitterrand (socialiste) est réélu président de la République. Mais lors des élections législatives de 1986, son parti (le parti socialiste) n'avait pas obtenu la majorité à l'Assemblée nationale.

2. Premier tour des élections législatives. Partis de droite : 40,5 % – Partis de gauche : 37,5 %.

3. M. Rocard essaie de former un gouvernement d'ouverture (avec des centristes) pour obtenir une majorité à l'Assemblée. Il n'y parvient pas.

4. Deuxième tour des élections : les partis de gauche (socialistes et communistes) obtiennent 52 % des voix mais le parti socialiste n'a pas la majorité absolue.

5. François Mitterrand nomme Michel Rocard Premier ministre.

6. Le Président dissout l'Assemblée législative issue des élections de 1986. De nouvelles élections sont organisées.

7. Michel Rocard forme un gouvernement comprenant des socialistes et quelques centristes.

8. Édith Cresson remplace Michel Rocard.

9. Le gouvernement Rocard gère pendant 3 ans les affaires de la France.

10. Michel Rocard démissionne.

3 | LE SUFFIXE -*TION*

Il est très productif et a permis de former des noms à partir de verbes.
– Avec les verbes en *er*, on ajoute -*ation* au radical (créer → création). Mais il y a des exceptions (digérer → digestion).
– La forme des autres verbes peut être modifiée (construire → construction).

Voici le programme d'un candidat aux élections présidentielles.

Transformez les groupes verbaux comme dans l'exemple de façon à en faire des slogans de campagne électorale.

créer des emplois → création d'emploi

– réduire le chômage	– réaliser des logements sociaux
– construire des centres culturels	– former les jeunes
– augmenter les salaires	– éduquer les enfants
– diminuer les charges sociales	– s'intégrer à l'Europe
– protéger les citoyens	– augmenter les exportations

4 | LES PRÉFIXES *PRO-, NON-, ANTI-, CONTRE-*

Donnez le sens des mots en italique et classez-les selon le préfixe.

– Il est *non-violent* et *anti-militariste*.

– Les deux pays ont signé un pacte de *non-agression*.

– Dans ce pays, les forces armées *pro-gouvernementales* s'opposent à un mouvement de guérilla.

– Les services de *contre-espionnage* auraient démonté un réseau d'espionnage économique.

– Vous n'avez pas compris la phrase. Vous avez fait un *contresens*.

– C'est l'hiver, il faut mettre de l'*antigel* dans votre voiture.

– Elle est partisane d'une pédagogie *non-directive*.

– Patrick prend le *contre-pied* de tout ce que dit Mireille.

26
Conflits et solidarité

1 LES CONFLITS SOCIAUX

Complétez avec les mots de la liste.

Mai 1968. Les étudiants français ne sont pas satisfaits. Ils .... une société plus juste et plus humaine. Ils .... contre l'autorité universitaire. Ils organisent des .... dans les rues de Paris, élèvent des .... et .... la police.

Les .... d'ouvriers et de fonctionnaires décident de rejoindre les étudiants. Bientôt, ouvriers et fonctionnaires se mettent en .... Ils .... de meilleurs salaires et de meilleures conditions de travail. La France est alors paralysée par dix millions de ....

Le gouvernement .... avec les syndicats les accords de Grenelle. Tous les salaires sont augmentés. Les syndicats votent alors ....

– affronter
  négocier
  réclamer
  revendiquer
  se révolter (contre)

– un syndicat
  une grève (se mettre en grève, faire la grève)
  un gréviste
  une manifestation
  une barricade
  la reprise du travail

2 LA SOLIDARITÉ

Paris Combines, P. Bataille - L. Fontaine, MA Éditions 1990.

La solidarité

Dans la vie, il y a certains moments où l'on a besoin de conseils, d'assistance ou tout simplement d'écoute. Ce réconfort, de nombreuses associations (souvent bénévoles) l'apportent chaque jour à ceux qui sont trop souvent «oubliés».

MAMY SITTING SERVICE
✆ 46 37 51 24
• Pour tenir compagnie à une personne âgée.
• Frais d'agence 50 F et 40 F/h.
Pour avoir une «lectrice» aussi charmante que Miou-Miou à votre chevet[1], une étudiante pour faire vos courses et vous emmener en promenade, ou une aide-soignante pour vous surveiller… Attention ! il ne s'agit pas de personnel médical.

17ᵉ arrondissement
COMITÉ NATIONAL D'AIDE AUX HANDICAPÉS
190, bd Malesherbes
75017 Paris Mᵒ *Malesherbes*
✆ 46 22 06 82
• Conseils, information et assistance.
• Gratuit
Cet organisme officiel vient en aide aux personnes souffrant d'un handicap physique ou mental et agit en faveur d'une meilleure insertion des handicapés dans la société.

SOS AMITIÉS
✆ 43 64 31 31 et 46 21 31 31 (jour)
   42 96 26 96 (nuit)
• Soutien pour personnes en détresse.
• 24h/24.
• Gratuit.
Irrésistiblement parodiée dans «Le père Noël est une ordure»[2], l'association SOS Amitiés a sans doute sauvé bien des vies depuis sa création. Pour se raccrocher à un fil quand tout va mal…

SOS DÉPRESSION
✆ 42 22 20 00
• Écoute téléphonique pour personnes déprimées.
• 24 h/24.
• Gratuit.
Une autre association qui apporte soutien et réconfort aux dépressifs.

10ᵉ arrondissement
LES RESTOS DU CŒUR
221, rue Lafayette
75010 Paris
✆ 42 40 43 45
• Association qui met en place, chaque hiver, des centres de distribution de nourriture et de repas pour les personnes les plus défavorisées.
• 24 h/24.
• Gratuit.
Coluche[3] serait fier des restos du cœur s'il revenait aujourd'hui ! En 5 ans, l'organisation qu'il a mise sur pied en décembre 1985 distribue, chaque année lorsque le froid arrive, plus de 25 millions de repas aux plus démunis ! 9 000 bénévoles se relaient pour continuer «l'histoire d'un mec…»

[1] Allusion au film *La Lectrice* dont le rôle principal était tenu par l'actrice Miou-Miou.

[2] Nom d'une pièce de théâtre, puis d'un film où les activités d'un organisme d'entraide sont tournées en dérision.

[3] Coluche (décédé en 1987), célèbre humoriste et fondateur des restaurants du cœur.

À qui s'adresse chacune de ces associations ?

Relevez (ou imaginez quand ce n'est pas indiqué) les formes d'aide qu'elles apportent.

Faites une liste des autres formes de détresse ou d'infortune.

Imaginez des associations leur venant en aide.

Rédigez une brève présentation de ces associations sur le modèle ci-dessus.

3 | LE PRÉFIXE NÉGATIF *I(N)-*

Il se met devant l'adjectif et indique le sens contraire.

• *in* (cas général) – connu → inconnu (qui n'est pas connu).

• *im* (devant m, p, b) – possible → impossible

• *il* (devant l) – logique → illogique

• *ir* (devant r) – responsable → irresponsable

Attention !

• *in* au début d'un mot n'a pas forcément un sens négatif (intelligent).

• Les deux adjectifs (avec et sans préfixe) n'existent pas toujours (imbattable signifie «qu'on ne peut pas battre» mais «battable» n'existe pas).

Formez un nouveau mot en ajoutant le préfixe *i(n)-* aux adjectifs de la liste A. Trouvez son synonyme dans la liste B.

Exemple : apte → inapte = incapable

A

apte – actif – habituel – légal – lettré – limité – logique – mangeable – mobile – moral – occupé – satisfait – résolu – respectueux

B

corrompu – désœuvré – hésitant – ignorant – immense – incapable – incohérent – interdit – insolent – libre – mécontent – mauvais – rare – sans mouvement

27
Les faits divers

1 LES INCIDENTS ET LES DÉLITS

Lisez ces faits divers et complétez la grille.

Un vendeur de reptiles toulousain avait laissé échapper plusieurs jeunes pythons sur le trottoir devant son magasin. Alertés, les sapeurs-pompiers les ont tous tués. Le commerçant veut porter plainte contre les services de secours, qui ont rétorqué : «Nous ne sommes pas censés connaître toutes les espèces de reptiles exotiques présents sur la voie publique.»
Midi-Libre, 17.06.91

De brefs incidents, ponctués de jets de pierres, ont opposé des policiers, venus chercher une moto volée, à environ 200 jeunes d'une cité populaire de Dreux (Eure-et-Loire) dans la nuit de vendredi à samedi. Un gardien de la paix a été légèrement blessé, ainsi que quelques jeunes atteints par des pierres, alors qu'ils tentaient de récupérer leur moto dans la cité des Chamarts.
Midi-Libre, 9.06.91

Pour soutirer de l'argent aux parents de son amie, afin de payer ses dettes, un étudiant lyonnais avait imaginé de faire croire à l'enlèvement de sa fiancée. Mais les policiers ont rapidement eu la certitude que ce rapt n'était pas réel, arrêtant l'amant et les deux copains qui les avaient aidés.
Midi-Libre, 22.05.91

Toussaint Balbo, 19 ans, a été assassiné samedi soir à Bastia. Deux hommes coiffés de casques de motard ont tiré avec des armes de 9 mm sur le jeune homme, assis dans sa voiture près du cimetière de la ville. Les enquêteurs pensent que les assassins étaient des professionnels.
Midi-Libre, 17.06.91

Quatre hommes masqués et armés ont intercepté hier matin, à 25 km au sud-ouest de Bastia, un camion transportant des denrées alimentaires pour le compte des hypermarchés... Corsaire. Prié de quitter sa cabine, le chauffeur a dû se contenter de regarder son camion flamber.
Midi-Libre, 05.06.91

Lieu du délit ou de l'incident	Auteur(s)	Victime(s)	Déroulement
Toulouse (dans la rue)	un vendeur de reptiles		

2 | LES DÉLINQUANTS

a) Trouvez dans la liste les auteurs des délits ci-dessous.

b) Classez ces délits selon la gravité que vous leur attribuez.

1. Voler une voiture.

2. Enlever quelqu'un pour toucher une rançon.

3. Faire exploser une bombe dans un lieu public.

4. Mettre le feu à une forêt.

5. Tuer par jalousie.

6. Tuer quelqu'un pour le voler.

7. Transmettre un document secret à un autre pays.

8. Obtenir de l'argent par la menace.

9. Fabriquer de la fausse monnaie.

10. Entrer dans une maison en cassant la fenêtre pour voler ce qui est à l'intérieur.

un assassin
un cambrioleur
un espion
un faussaire
un kidnappeur
un meurtrier
un pyromane (un incendiaire)
un racketeur
un terroriste
un voleur

3 | LA POLICE ET LA JUSTICE

Vous êtes metteur en scène de cinéma. Imaginez dans le détail le déroulement des scènes suivantes. Utilisez le vocabulaire du tableau.

Exemple : Scène 1 : Deux heures du matin. Une voiture s'arrête près du château.
Deux hommes descendent.
Ils escaladent…

– un policier un agent de police un inspecteur de police un commissaire de police un gendarme	– arrêter passer les menottes mettre en prison garder – surveiller libérer	– chercher – rechercher suivre – filer
– un juge un avocat le tribunal – un procès être condamné	– s'évader – s'échapper se cacher – se dissimuler	

Scène 1
Vol avec effraction dans un château de la banlieue de Rouen.
Surpris par le gardien, les cambrioleurs sont arrêtés.

Scène 2
Après une nuit de recherche, les deux évadés de la prison de Clairvaux sont repris par la police.

Scène 3
Au moment où il déposait une bombe devant la Préfecture, le terroriste est arrêté. Il était suivi depuis huit jours par la police.

28
Le monde

1] L'EXOTISME

Dans lequel de ces trois films documentaires aurez-vous l'occasion
de voir les lieux, les hommes et les objets suivants ?

A. La traversée du Sahara

B. Les mystères de la jungle amazonienne

C. Canada, terre des grands espaces

un arc	un masque de cérémonie	des raquettes ......
une cabane en bois	des nomades	un sorcier ......
une caravane	une oasis	un tapis ......
une dune de sable	un pagne	une tente ......
une flèche	un palmier	une tribu ......
une forêt dense	un plateau de cuivre	une théière ......
un fusil	une piste	un turban ......
une hutte (sur pilotis)	un piège	un traîneau ......
un hamac	une pirogue	un sabre recourbé ......
un javelot	une peau de renard argenté	des vêtements de peau ......

2] LES VESTIGES DU PASSÉ

Voici des mots que l'on trouve souvent dans les guides
touristiques. Ils désignent des vestiges du passé.
Classez-les dans le tableau selon la fonction qu'ils
évoquent.

un arc de triomphe	une citadelle	une mosquée	un parchemin	une tapisserie
un autel	un donjon	un mausolée	un palais	un temple
une cathédrale	une église	une mosaïque	un papyrus	un théâtre antique
une chapelle	une forteresse	un manuscrit	une pyramide	une tombe
un château	une fresque	une muraille	une stèle	une tour

Pratiques religieuses	Culte des morts	Armée	Loisirs et communication	Habitat et décoration
		un arc de triomphe		

3 | LA NOTION DE «VIEUX» ET DE «JEUNE»

Complétez les phrases suivantes.
Le premier mot manquant doit évoquer l'idée de «vieux»,
le second l'idée de «jeune».

a. Ce vase ...... date du IIIᵉ siècle avant J.C. Celui-ci est ......

b. J'ai acheté cette voiture ...... à un ami et je n'ai pas fait une bonne affaire. La prochaine fois, j'achèterai une voiture ......

c. Mme Arnaud était l'...... directrice de la société. La ...... directrice s'appelle Brigitte Raynaud.

d. Mes chaussures sont ...... Je dois en acheter des ......

e. Il faut que les personnes ...... soient davantage aidées par les ......

f. Ce passeport a plus de 10 ans. Il est ...... Celui-ci par contre est encore ......

g. Les ...... platanes du parc sont morts. On les a remplacés par de ...... pins.

vieux	jeune
âgé	neuf
ancien	nouveau
antique	usé
passé	moderne
périmé	récent
d'occasion	valide

4 | LES NOMS DE LIEUX

Certains noms de lieux célèbres sont formés avec des mots courants.

Dans quels pays se trouvent les lieux suivants ?

– Le Fleuve Jaune
– Les Montagnes Rocheuses
– La Grande Barrière de corail
– La Tour penchée
– La Forêt Noire
– La Vallée des Rois
– La Vallée de la Mort
– La Grande Muraille
– La Chaussée des Géants
– Le Pont des Soupirs

– Le Lac Salé
– La pyramide du Serpent à plumes
– La Mer Noire
– Le Mont-Blanc
– La Terre de Feu
– La Mosquée Bleue
– La Maison-Carrée
– Les Jardins Suspendus

CULTURE ET LOISIRS

29
Lire

1] LES LIVRES

Voici des résumés de livres. Réduisez chaque résumé à une phrase de 10 mots maximum en précisant le genre et le sujet.
(Pour le genre, utilisez le vocabulaire de la liste.)

Exemple : 1. Roman. Un jeune médecin broyé par un univers absurde.

1
Les demeures du silence

Luis Martin Santos   1962
Traduit par A. Rouquié   Seuil
Un jeune médecin, au cœur d'un univers absurde qui finira par le broyer. Étape ultime du roman, dissolution de l'individu, atmosphère de fin de partie.

4
**Choix de textes
et présentation de M. Pomès**

Gabriela Mistral (Chili)   (1889-1957)
                Seghers
Une poésie aujourd'hui un peu oubliée où domine le thème de l'amour pour les choses et pour les êtres méprisés et malmenés. Prix Nobel de Littérature 1945.

7
Le Meilleur des Mondes

Aldous Huxley   1932
Traduit par Jules Castier   Plon et P.P.
Une utopie sociale en l'an 2500. Éprouvettes, pilules et rationalisme étroit. Le roman le plus célèbre d'Huxley.

2
La Célestine
in « Théâtre espagnol du XVIᵉ siècle »
attribué à Fernando de Rojas   1499
                Pléiade
Une des toutes premières pièces de la littérature espagnole et en même temps un portrait riche en couleurs d'une entremetteuse. Calixte et Mélibée, deux amoureux tendres, survivront-ils à la corruption de la société hispanique ?

5
La Place du diamant

Merce Rododera   1962
Traduit du catalan par B. Lesfargues
                Gallimard
Une ouvrière raconte sa vie dans la Barcelone des années 30-40. Réalisme minutieux et intensité poétique.

3
Le Hasard et la Nécessité

Jacques Monod   1970
                Seuil
Ce titre formidable – la formule est de Démocrite – a assuré le succès du livre. Un regard neuf et ingénu sur la biologie moderne. Une nouvelle façon de concevoir la «philosophie naturelle».

6
Winnesburg, Ohio

Sherwood Anderson   1919
*Traduit de l'américain
par Marguerite Gay*   Gallimard
Un recueil de nouvelles brèves qui a eu une très grande influence sur le développement de la littérature américaine contemporaine. Des personnages simples et la chronique d'une petite ville dans un monde en mutation brutale.

Extraits de *La Bibliothèque idéale* présentée par B. Pivot, Albin Michel, 1988

– un roman { policier / historique / de science-fiction / d'espionnage

– un recueil { de poèmes / de nouvelles / de contes

– une pièce de théâtre
– une autobiographie
– une biographie

– un essai { philosophique / scientifique / politique

– un ouvrage pratique (cuisine, jardinage, etc.)

– une bande dessinée
– un livre d'art
– un livre de photographies

2 | LES MANIÈRES DE LIRE

Faites correspondre le verbe et le complément.

1. Lire à haute voix......	a. ...... un livre avant de l'acheter
2. Lire à voix basse......	b. ...... une tirade d'une pièce classique
3. Feuilleter......	c. ...... à sa famille la lettre du cousin Marcel
4. Survoler......	d. ...... un rapport pour en connaître l'essentiel
5. Consulter......	e. ...... à l'église, un livre de prières
6. Déchiffrer......	f. ...... un passage particulièrement beau
7. Traduire......	g. ...... un dictionnaire
8. Épeler......	h. ...... un texte en langue étrangère
9. Savourer......	i. ...... une écriture illisible
10. Déclamer......	j. ...... un nom compliqué pour le dicter à quelqu'un

3 | DE LA LETTRE AU LIVRE

a) Classez les mots, de l'élément le plus petit vers le plus grand

un chapitre – une phrase – un mot – une collection – une lettre minuscule – une lettre capitale – un tome – une syllabe – une œuvre – une partie – une page – un paragraphe – une ligne

b) Associez les types de livres aux mots de la colonne de droite

1. un recueil	a. photos, timbres
2. un bouquin	b. apprentissage
3. un manuel	c. listes de noms, comptes
4. un livre de poche	d. pensées, poèmes, extraits
5. un manuscrit	e. petit format, pas cher
6. un registre	f. terme familier pour livre
7. un album	g. écrit à la main

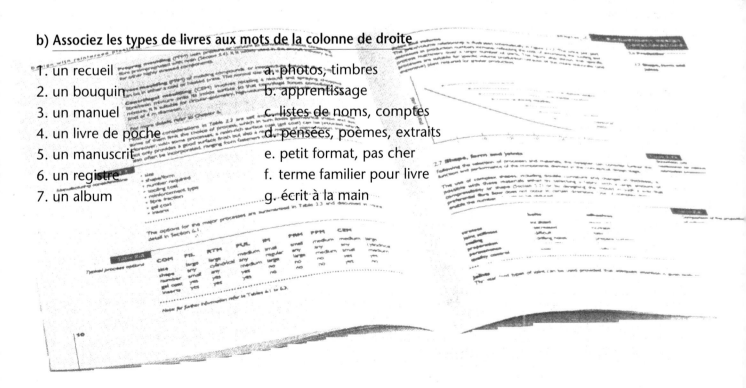

30 Compter

1 LES OPÉRATIONS

Un élève calcule à haute voix. De quelles opérations s'agit-il ?
Transcrivez-les en chiffres et en signes mathématiques.

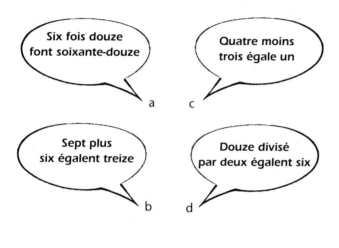

Six fois douze
font soixante-douze

a

Quatre moins
trois égale un

c

Sept plus
six égalent treize

b

Douze divisé
par deux égalent six

d

Deux fois huit, seize.
je pose six et je retiens un.
Deux fois deux, quatre, et un,
cinq. Trois fois huit, vingt-quatre.
Je pose quatre et je retiens deux.
Trois fois deux, six, et deux, huit.
J'additionne : six – cinq et quatre,
neuf – huit. Huit cent
quatre-vingt-seize

e

2 LES DÉPENSES

Lisez les 14 réponses à ce sondage.
Quelles sont les réponses qui dénotent...

a. le sens pratique ?

b. l'esprit d'entreprise ?

c. le goût du luxe ?

d. le goût du risque ?

e. le goût du confort ?

f. le besoin de sécurité ?

g. la recherche du plaisir ?

h. la générosité ?

Quelles sont les dix choses que vous feriez ou achèteriez en priorité
si vous gagniez une grosse somme d'argent ?

Si j'étais riche...	
Si demain vous gagniez une grosse somme d'argent sur laquelle vous ne comptiez pas, à quoi la dépenseriez-vous ?	
1. Un placement sûr comme un terrain ou l'or	30,6 %
2. Une dépense exceptionnelle comme un grand voyage	24,9 %
3. Une réserve qui reste sur le compte en banque en attendant d'avoir une idée	12,4 %
4. Les vacances	11,1 %
5. Un rapport régulier à la Caisse d'épargne	10,2 %
6. Une voiture neuve	9,4 %
7. Un beau mobilier pour la maison	9,4 %
8. Un investissement comme créer une petite entreprise ou un commerce	7,7 %
9. Des choses pour la maison comme une TV ou un lave-vaisselle	7,4 %
10. Un placement qui rapporte comme des actions ou des obligations	6,0 %
11. Un prêt à des copains	2,9 %
12. Une réserve pour mes impôts	2,1 %
13. Des choses pour soi comme des bijoux ou un manteau de fourrure	2,0 %
14. Jouer au casino	0,3%
	CCA international

3 | LES REVENUS

Ils parlent de leurs revenus. Lisez pour compléter le tableau.

Je suis retraité de la SNCF. Je touche 6 000 F par mois et mon épouse a obtenu une pension d'invalidité.

a

Je suis serveur dans un restaurant. Je gagne bien ma vie. J'ai un salaire fixe de 6 500 F par mois et, bien sûr, les pourboires laissés par les clients. De plus, je suis logé et nourri.

b

Mon entreprise, dont je suis le directeur général, me verse une rémunération de 30 000 F par mois. On me fournit aussi un logement et une voiture de fonction.

c

Vous savez, depuis l'ouverture des grandes surfaces, les petits commerçants tirent le diable par la queue. Quand j'ai payé les traites de l'emprunt que j'ai fait pour rénover le magasin, il me reste à peine de quoi vivre.

d

Je suis ouvrier maçon et avec 7 000 F par mois nous sommes un peu coincés, ma femme et moi. Alors, je fais un peu de travail au noir pour arrondir les fins de mois. Et puis, ma maison ne m'a pas coûté très cher. Je l'ai faite moi-même.

e

Le cachet obtenu pour ma dernière tournée me permettrait de vivre toute une année. Malheureusement, j'ai de grosses dettes à régler. Enfin ! J'espère que mon prochain disque me procurera des droits confortables.

f

	Profession	Revenu principal	Avantages parallèles
a	retraité de la SNCF	retraite de 6 000 F par mois	pension d'invalidité de sa femme
b			

4 | LES EMPLOIS DES NOMBRES ET DES OPÉRATIONS

Complétez en lettres.

→ *avec un nom de chiffre* : un, deux, etc.
→ *avec un ensemble* : dizaine, douzaine, etc.
→ *avec une fraction* : un demi, un tiers, etc.
→ *avec une opération* : addition, soustraction, etc.

a. Les .... mousquetaires.

b. Les .... Merveilles du monde.

c. Il fait les .... pas devant la porte.

d. J'ai acheté une .... d'œufs.

e. «Garçon, ... s'il vous plaît et faites-moi ...... !»

f. Le chiffre .... porte bonheur (ou malheur).

g. Les Contes des .... nuits.

h. Il est né en 1961. Il a la ....

i. La .... des pains.

j. Je dois payer le .... provisionnel de mes impôts.

k. C'est simple comme .... et .... font ....

l. Le Burundi est un pays du .... monde.

31
Les médias

1 LA PRESSE

Lisez cette présentation du journal *Ouest-France* et répondez.

a) Pour chaque type de publication indiquez les grandes lignes de son contenu et sa fréquence de distribution.

un journal – un quotidien – un hebdomadaire – un magazine – un mensuel – une revue (mensuelle, trimestrielle, semestrielle, annuelle)

b) Quelles sont les différentes catégories professionnelles qui travaillent pour un journal ? Qui fait quoi ?

Ex. : Le rédacteur en chef coordonne l'équipe de journalistes

Tirage des grands quotidiens nationaux :
Le Figaro : 394 000 – *Le Monde* : 363 000

c) Comment expliquez-vous le tirage important de *Ouest-France* ? Pensez-vous qu'il y ait des différences entre les 38 éditions quotidiennes d'*Ouest-France* ? Lesquelles ?

d) Imaginez dix titres d'articles que l'on pourrait trouver dans les pages d'informations régionales.

e) Faites la liste de toutes les rubriques que l'on peut trouver dans les pages d'informations nationales et internationales.

Ex. : politique nationale

f) Faites la liste des rubriques que l'on peut trouver dans les pages «petites annonces».

Le 1er quotidien de France

OUEST-FRANCE

354 journalistes répartis dans 62 rédactions locales
4 000 correspondants dans toutes les communes de l'Ouest
8 700 points de ventes
3 000 porteurs

Diffusion O.J.D. 1988
785 000 ex. dont 59 % par abonnement ou portage à domicile

Chaque jour les régions à la loupe (12 départements de l'Ouest) grâce à 38 éditions

Ouest-France, dans l'Ouest, pour tout savoir :

– la vie de sa commune, de sa région : que faire aujourd'hui, demain, ce week-end ? Qui fait quoi ? Que s'est-il passé hier ?

– les informations nationales et internationales traitées par des journalistes spécialisés

– les résultats sportifs, les commentaires, les pronostics, pour l'équipe de la ville comme pour l'équipe de France

– les offres d'emploi : 8 à 10 pages chaque samedi

– les bonnes affaires dans toutes les villes de l'Ouest

– le meilleur moyen d'acheter ou de vendre son logement ou sa voiture…

Quid 1990

2 | LA TÉLÉVISION

a) Relevez les mots qui sont en relation avec la télévision.

Classez-les dans le tableau.

PORTRAITS DE TÉLÉSPECTATEURS

• *Le supporter inconditionnel*
Il regarde toutes les émissions, mange devant la télévision, boit les paroles du présentateur.
Il avale tout. Le petit écran l'aide à respirer. La télé, c'est sa vie.

• *L'intello hypocrite*
Il critique tout : les informations (incomplètes et partiales), les feuilletons (trop souvent américains), les variétés et les jeux (trop populaires). Mais il achète le programme toutes les semaines et enregistre beaucoup d'émissions sur son magnétoscope.

• *Le résistant pur et dur*
Il se méfie des images (trompeuses) de la publicité (envahissante). Pour lui aucune chaîne n'est valable et tous les programmes sont ennuyeux. Tout ce qu'on diffuse est stupide. Le soir, il lit ou écoute de la musique classique.

• *Le solitaire indifférent*
Il a besoin de la télévision. Son poste est toujours allumé et le soir il oublie de l'éteindre avant de s'endormir. Dans le programme, il lit consciencieusement les articles consacrés à la carrière des stars : celles des feuilletons, celles du journal télévisé ou de la météo. Ce sont ses seules compagnes.

Le poste de télévision	Les émissions et les programmes (contenu et personnes)	Le comportement des téléspectateurs
la télévision	....	....

b) Complétez le tableau avec les mots ci-contre.

un bouton – une touche – une télécommande – un animateur – un reporter – un reportage – un flash d'information – un flash publicitaire – une émission en direct

3 | LES MOTS À NE PAS CONFONDRE

Complétez avec l'un des deux mots

programme/émission	a. J'ai acheté le ...... de la télé pour sélectionner les ...... les plus intéressantes.
station/chaîne	b. On passe l'opéra *Carmen* sur la 3 ...... Mais si vous voulez avoir un meilleur son, écoutez en même temps la ...... de radio France-Musique. Ils donnent le même opéra à la même heure.
nouvelle/information	c. Je vais écouter les ...... à la radio. Il y a des ...... importantes sur l'affaire Richard.
avertissement/publicité/ annonce	d. La société LADOR qui vend des aliments pour animaux a fait une ...... mensongère. Le tribunal lui a donné un ...... et l'a condamnée à mettre une ......dans un journal pour informer le public de cette condamnation.
caractère/personnage	e. La série télévisée *Châteauvallon* met en scène une série de ...... vivant dans une ville de province. Chacun a un ...... très typé.
habile/capable	f. Jacques est certainement quelqu'un qui est très ...... de ses mains. Mais je ne le crois pas ...... de réparer le poste de télévision.

32
Les voyages

1 LES TRANSPORTS

Caractérisez chacun des moyens de transport suivants
par cinq adjectifs.

l'avion – le taxi – le bateau – le vélo – le train – la voiture personnelle – la
moto – le métro – le voyage à pied

la rapidité	: rapide/lent	*le confort*	: confortable/inconfortable reposant/fatigant
le prix	: cher/bon marché		
la sécurité	: dangereux/sûr	*la convivialité*	: possibilité de rencontrer des gens

2 LE DÉROULEMENT DU VOYAGE

Reconstituez les étapes des quatre voyages suivants.

Voyage en train (de Paris à Nice)	Voyage en voiture (de Paris à Marseille)	Voyage en avion (de Paris à New York)	Voyage en bateau (de Nice à la Corse)
a – c ...			

a. acheter le billet

b. aller à l'aéroport

c. aller à la gare

d. se rendre au port

e. arriver

f. accoster

g. s'arrêter pour déjeuner

h. atterrir

i. boucler sa ceinture

k. composter le billet

l. décoller

m. débarquer

n. descendre

o. démarrer

p. embarquer

q. enregistrer les bagages

r. lever l'ancre

s. lire pendant le vol/le trajet/la traversée

t. monter

u. mettre les bagages dans le coffre

v. passer le contrôle de police

w. passer à la douane

x. prendre de l'essence

y. passer au poste de péage

3 LA QUALITÉ DU VOYAGE

Les voyages se suivent et ne se ressemblent pas. Voici la réponse que
donne un voyageur à la traditionnelle question : «Vous avez fait bon
voyage ?»

Imaginez un récit totalement opposé à celui-ci.

Ma foi, il y a eu des hauts et des bas, ce qui est normal, me direz-vous, pour un voyage en avion. D'abord, nous avons décollé avec deux heures de retard et l'attente à l'aéroport a été plutôt pénible. On ne nous a même pas offert une boisson. Le vol a été particulièrement éprouvant. Nous avons été très secoués à cause des turbulences. J'étais assis à côté d'un hublot mais je n'ai rien vu. Le temps a été nuageux pendant tout le parcours. Heureusement, le service était impeccable, les hôtesses charmantes et les repas presque gastronomiques. Mais à l'arrivée, quelle peur ! Le pilote a failli rater son atterrissage et l'avion s'est arrêté de justesse en bout de piste…

> **Nous sommes partis à l'heure exacte...**

4 | LES OBJETS DU VOYAGE

Répartissez les objets suivants entre ces trois voyageurs.
Chaque voyageur doit recevoir 6 objets et un objet ne peut pas être attribué à deux voyageurs.

a. Elle va passer trois semaines sur une plage tropicale.

b. Il va faire de la randonnée à pied à travers les Pyrénées.

c. Elle part seule visiter l'Angleterre, en voiture au mois de février.

1. un appareil photo
2. un baladeur
3. une boussole
4. une carte routière
5. des cachets pour le mal de mer.
6. une carte d'état-major
7. un dictionnaire bilingue
8. un guide touristique
9. un imperméable
10. une lampe de poche
11. des lunettes de soleil
12. un maillot de bain
13. un produit anti-moustiques
14. des romans policiers
15. une serviette de bain
16. un sac à dos
17. une tente
18. une trousse d'urgence

33
Les sports

1 LES ACTIVITÉS SPORTIVES

Vous organisez un club de sport et vous devez prévoir des lieux et du matériel.

Classez les sports suivants selon les lieux où ils se déroulent habituellement. Indiquez pour chaque sport les objets indispensables.

Sports	Lieux	Objets
la boxe – la course à pied – le cyclisme – l'équitation – l'escrime – le golf – la gymnastique – le jogging – le hand-ball – la lutte – le lancer de poids (du disque, du javelot) – le football – le ping-pong (tennis de table) – la marche – la natation – le patinage – la relaxation – le ski (alpin, de fond) – le rugby – le tennis – le volley-ball – la voile	un terrain un court une salle une piste une route un chemin une piscine une patinoire la montagne la mer	une balle – un ballon – un club – un cheval – une épée – un gant – un filet – un panier – des patins – des skis – une table – une raquette – un vélo – un bateau

2 LES QUALITÉS SPORTIVES

Des professionnels du sport parlent de leur métier.

Relevez dans ce qu'ils disent les informations qui vous permettront de compléter le tableau.

Le tennis, ça demande une longue préparation. Le joueur doit être en pleine forme physique et avoir de très bons réflexes. Mais il doit aussi pouvoir se concentrer et garder son calme. Tous ses coups doivent être calculés et rapides. Il doit jouer non seulement avec le bras mais également avec la tête et les jambes.

Le football, c'est avant tout un esprit d'équipe et pour chaque joueur une grande capacité d'énergie physique. Mais ce qui fait une grande équipe, c'est la présence de grands joueurs. Ce sont des artistes du ballon. Il faut beaucoup d'intelligence et de finesse pour donner une bonne balle ou marquer un but.

> Devenir un champion de course de fond cela demande du souffle et de la résistance qui ne s'acquièrent que par un entraînement quotidien. De plus, il faut le goût de l'effort et la volonté de vaincre. Et puis sans doute aussi la passion de ce sport. Je me suis entraîné pendant quinze ans pour ''ne place de quatrième aux Jeux Olympiques.

> Le judo consiste à utiliser la force de l'adversaire. Par exemple, on doit utiliser son attaque pour le faire tomber. On doit donc rester maître de soi, être souple et rapide et avoir le sens de l'équilibre.

Quelles qualités faut-il avoir pour pratiquer les sports suivants :

le judo, la voile, l'escalade, l'haltérophilie, la course automobile ?

Sports	Qualités physiques	Qualités techniques	Qualités mentales
Tennis	forme physique	....	....
Football	....	....	....
Course de fond	....	....	....

3 | LA VICTOIRE ET LA DÉFAITE

Lisez l'article suivant.

a) Relevez le vocabulaire relatif à la victoire. Soulignez les mots et expressions qui montrent que le journaliste a voulu faire l'éloge des deux patineurs.

Les Duchesnay se distinguent à nouveau

10 mars. Les championnats du monde de patinage artistique qui se disputaient à Halifax (Canada) se sont terminés brillamment pour Isabelle et Paul Duchesnay. Les Français ont fait un triomphe dans l'épreuve de figures libres, décrochant cinq fois la note 6 en artistique, et... une médaille d'argent. Elle vaut de l'or, même si ce sont les Soviétiques Klimova et Ponomarenko qui sont montés sur la première marche du podium. Le public canadien a réservé aux Duchesnay une formidable ovation. Leur progression est prometteuse pour 1992.

Chronique de l'année 1990, Éditions Chronique–Jacques Legrand SA.

b) Imaginez des titres de résultats sportifs en utilisant les mots du tableau.

Jouer (un joueur) – une épreuve – une compétition – un championnat – gagner – battre (une victoire) – un vainqueur – éliminer – battre un record – perdre (une défaite – le perdant) – le score – le résultat – marquer un but

4 | LES NOMS FORMÉS SANS SUFFIXE À PARTIR DE VERBES

Ils sont formés, soit d'après la troisième personne du présent (marcher → la marche), soit d'après le participe passé (venir → la venue), soit d'après l'infinitif (dîner → le dîner).

Trouvez les noms formés d'après les verbes suivants :

aider	déjeuner	fuir	manger	sortir
aller	dépenser	galoper	plonger	suivre
couvrir	donner	lancer (un poids)	offrir	surprendre
conduire	entrer	monter	savoir	voir

34
Le cinéma et le théâtre

1 LES GENRES DE FILMS

Trouvez le genre du film d'après le titre.

a. *Le Peuple singe*. G. Vienne, France, 1989.

b. *La Bataille de Midway*, Smight, États-Unis, 1957.

c. *Une femme fatale*, Doniol-Valcroze, France, 1977.

d. *Chantons sous la pluie*, Kelly et Donen, États-Unis, 1952.

e. *Il était une fois dans l'Ouest*, Leone, Italie, 1969.

f. *Blanche-Neige et les sept nains*, Disney, États-Unis, 1937.

g. *Nosferatu le vampire*, Murnau, Allemagne, 1922.

h. *Le Dernier Empereur*, Bertolucci, G.B. et Italie, 1987.

i. *L'Inspecteur Lavardin*, Chabrol, France, 1986.

j. *Rencontre du troisième type*, Spielberg, États-Unis, 1977.

1. Comédie musicale
2. Dessin animé
3. Western
4. Film d'épouvante
5. Film policier
6. Film de guerre
7. Film historique
8. Film de science-fiction
9. Film d'amour
10. Documentaire

Imaginez des titres de films en utilisant les structures des titres ci-dessus.

Exemple : *Le Peuple singe* → *Le Peuple fourmi*

2 LE FILM D'UN FILM

Remettez dans l'ordre les étapes de la réalisation d'un film.

Pour chaque étape trouvez dans la liste les personnes qui interviennent.

1. Conception de la mise en scène.
2. Tournage du film.
3. Choix du sujet du film.
4. Sortie du film en salle.
5. Rédaction des dialogues.
6. Lancement de la publicité.
7. Réactions et commentaires dans les médias.
8. Recherche du financement.
9. Repérage des lieux du tournage et réalisation des décors.

un acteur/une actrice

un cadreur

un cascadeur

un critique

un décorateur

un distributeur

un monteur/une monteuse

un producteur

un publicitaire

une ouvreuse

un réalisateur (un metteur en scène)

un scénariste

3 | LA CRITIQUE

Dans les critiques de cinéma suivantes recherchez tous les éléments d'appréciation que vous pouvez trouver sur :

a. le sujet
b. les dialogues
c. la mise en scène
d. les décors
e. les acteurs

LA NOTE BLEUE,

d'Andrzej Zulawski, avec Marie-France Pisier, Janusz Olejniczak, Sophie Marceau.
La dernière note du concert, si délicate, George Sand la voyait bleue. Cela fait un joli titre pour un film qui évoque la fin des amours de l'écrivain et de Chopin. Ensuite, on rit beaucoup du genre «artiste» tel que vu par Zulawski. Reste l'excellente idée d'avoir fait jouer le rôle de Chopin par un bon pianiste, et une Marie-France Pisier souveraine en dame de Nohant. À compléter quand même par la remarquable biographie que Jean Chalon vient de consacrer à George Sand (Flammarion).

M.-F.L.

Le Point, 17.06.91

●●LA VIE DES MORTS, d'Arnaud Desplechin,

avec Marianne Denicourt, Laurence Cote.
Cinquante-cinq minutes de pur cinéma qui coupent le souffle : quatre familles se retrouvent à l'occasion du suicide d'un cousin. Pendant qu'il balance à l'hôpital entre la vie et la mort, tout ce petit monde parle, mange, dort, drague et joue au foot. Ce film révèle un talent et une maîtrise assez sidérants chez un jeune homme de 30 ans, qui tourne actuellement son second film. Regards aigus, dialogues bruts pour un sujet fort : Desplechin est à découvrir d'urgence. Au même programme : «Ce qui me meut» de Cedric Klapisch.

M. P.

Le Point, 17.06.91

● **Total Recall**, de Paul Verhoeven, avec Arnold Schwarzenegger.
De la terre à la planète Mars, le chemin est court pour Schwarzenegger, qui ne sait plus si ce qu'il vit relève de son quotidien, de sa mémoire ou de ses rêves. Egalement prisonnier de cette intrigue complexe, on ne peut que se laisser porter par un film qui emprunte au space opéra ses décors, son rythme et ses séquences spectaculaires, et à la nouvelle de Philip K. Dick dont est inspirée sa richesse, sa sophistication et son charme vénéneux. Quant à Schwarzenegger, il prouve qu'il peut jouer autre chose que les brutes bodybuildées.

P. Me.

Le Point, 22.10.90

---

4 | LES OPINIONS

Les critiques de cinéma ou de théâtre ont souvent des opinions divergentes. Rédigez une critique qui soit en contradiction complète avec celle-ci.

«Décidément, notre théâtre se porte mal. La nouvelle pièce de Paul Buisson, *Le Bûcheron des Ardennes* en est la lamentable preuve.

Il faut du courage pour suivre jusqu'au bout cette intrigue médiocre et sans véritable tension dramatique. Jacques Laforêt, le metteur en scène, aurait pu sauver ce texte sans âme par une réalisation de qualité. Hélas ! Les décors sont pauvres, les éclairages sans relief, les costumes tristes et indigents et la mise en scène est une suite de banalités. On a voulu, semble-t-il, nous faire successivement rire et pleurer. Mais c'est raté. Buisson et Laforêt ne sont ni Molière, ni Pagnol.

Les acteurs ne rehaussent vraiment pas le niveau de la production. Voix nasillarde, gestes hésitants ou mécaniques, Bruno Dubois ne semble pas à l'aise dans son rôle. Quant à Hyacinthe Despré, son jeu de scène est inexistant et sa voix terne et sans émotion ne passe pas la rampe. À déconseiller.»

A.C.

35
Les arts

1 LA PEINTURE

Voici trois peintures sur le même thème.

a) Pour chaque tableau, faites la liste de ce que vous voyez :

– au premier plan,

– au second plan,

– à l'arrière-plan (au fond)

b) **Caractérisez ces tableaux
en utilisant les adjectifs suivants :**

> figuratif – abstrait – naïf –
> symbolique – surréaliste –
> exotique – étrange – formes
> douces/dures – enchevêtrées –
> légères

c) **Chaque tableau évoque un
rêve différent. Caractérisez ces
rêves.**

Le Douanier Rousseau : Le Rêve

Chagall : Le Rêve

3 LES CRITIQUES

Faites la liste des qualités de ces musiciens de jazz.

Il faut voir Harry Connick Jr en scène pour comprendre l'étendue de son talent. Il joue remarquablement du piano, et son style se situe entre Thelonious Monk (pour les ruptures et les dissonances) et Fats Waller (pour la bonhomie joyeuse). La texture de sa voix et son sens du swing évoquent Sinatra et Mel Torme. Mais c'est surtout son art de la scène qui le rend unique. Il émane de lui un charme irrésistible. L'aisance avec laquelle il manipule le public, plaisante et dialogue avec lui, est stupéfiante, compte tenu de son très jeune âge.

Le Point, 24.12.90

Joe Jackson est un des plus grands compositeurs-interprètes des années 80-90, mais la diversité de son talent – il aborde jazz, rock et classique avec une aisance stupéfiante – a désorienté le public et le music-business. Son caractère fantasque et acariâtre n'a rien fait pour arranger les choses, et sa carrière stagne depuis quelques années. C'est vraiment dommage, car il demeure un des musiciens les plus originaux issus de la scène britannique de l'après-punk.

S.R.

Le Point, 03.06.1991

Si Keith Jarrett est sans aucun doute le musicien de jazz le plus doué de sa génération, il est aussi le plus déconcertant. Pianiste, saxophoniste, flûtiste, percussionniste, organiste, claveciniste, guitariste et compositeur, son itinéraire artistique relève presque de la schizophrénie musicale tant il zigzague dans toutes les directions. Avec une constante, toutefois : la dévotion passionnée qui l'habite dès qu'il fait de la musique.
Qu'il joue du Bartok ou du Bach, qu'il revisite les grands classiques du jazz avec une sensibilité respectueuse ou qu'il se lance dans de longues improvisations en solitaire, Keith Jarrett ne peut le faire qu'en se donnant totalement, en s'abandonnant même physiquement avec une générosité impudique.

Le Point, 05.11.90

4 LES SENS DE GRAVE/AIGU – FORT/FAIBLE – DOUX/DUR

Pour chaque emploi trouvez l'adjectif synonyme.

une voix *aiguë*	fort(e)	un son *grave*	sérieux (sérieuse)
une douleur *aiguë*	vif(ve)	une maladie *grave*	bas (basse)
une flèche *aiguë*	haut(e)	un homme *grave*	important(e)
une intelligence *aiguë*	pointu(e)	un *grave* problème	austère
une voix *forte*	puissant(e)	une voix *faible*	léger (légère)
un caractère *fort*	violent(e)	un élève *faible*	sans volonté
une odeur *forte*	énergique	une personne *faible*	médiocre
un café *fort*	serré(e)	un vent *faible*	peu audible
un aliment *doux*	sucré(e)	une voix *dure*	difficile
un caractère *doux*	fin(e)	un bois *dur*	sans cœur
une étoffe *douce*	mélodieux(ieuse)	un exercice *dur*	désagréable
une musique *douce*	conciliant(e)	une personne *dure*	résistant(e)

LE TRAVAIL

37
L'apprentissage

1 LES ÉCOLES

a) Faites correspondre les différentes écoles et leurs buts.

b) Relevez tous les mots qui signifient «apprentissage».
   Trouvez le verbe qui leur correspond : apprentissage → apprendre.

• *L'école maternelle* (2 à 6 ans)	**a** Approfondissement d'une discipline fondamentale. Initiation à la recherche.
• *L'école primaire* (6 à 11 ans)	**b** Apprentissages fondamentaux (lecture, écriture, calcul). Découverte des sciences de la nature et de l'homme. En principe, pas de travail écrit à la maison.
• *Le collège* (11 à 15 ans)	**c** Cloisonnement en disciplines précises. Initiation au raisonnement, à la logique et à l'abstraction (algèbre, géométrie). Étude des langues étrangères. Formation au travail individuel.
• *Le lycée* (15 à 18 ans)	
• *L'université*	
• *Les Grandes Écoles* (Administration, ingénieurs, gestion, commerce, etc.)	**d** Apprentissage des règles de la vie en groupe. Acquisition du langage et développement des fonctions motrices et sensorielles.
• *Les Instituts universitaires de Technologie. Les écoles, instituts et centres de formation professionnelle.*	**e** Formation professionnelle des cadres supérieurs : acquisition des connaissances nécessaires à la profession. Stages sur le terrain.
	f Première spécialisation (orientation vers les disciplines scientifiques, littéraires, technologiques, etc.). Initiation à la philosophie. Préparation au baccalauréat.

2 LES FAÇONS D'APPRENDRE

Où et comment apprendriez-vous ? (Utilisez le vocabulaire du tableau.)

– la dactylographie
– un rôle (si vous étiez acteur)
– une langue étrangère
– à jouer d'un instrument de musique

– à connaître les arbres de la forêt
– à diriger un secteur d'entreprise
– à connaître la littérature française
– les connaissances générales nécessaires à la préparation d'un concours

Organisation générale	Techniques personnelles
– Travail seul (autodidacte) – École – Stage de formation – Leçons particulières – Apprentissage sur le tas (sur le lieu de travail) – Télé-enseignement (par correspondance)	– Lire et relire plusieurs fois – Lire, écouter et prendre des notes – Apprendre par cœur – Faire des fiches, des plans – Travailler plusieurs heures d'affilée – Travailler par tranches de 2 heures – Bien étudier avant de produire – Produire sans avoir étudié au risque de faire des erreurs, etc.

3 | LES QUALITÉS ET LES DÉFAUTS DE L'ÉTUDIANT

Trouvez les défauts correspondant à ces dix qualités.

Quels sont les qualités et les défauts qui s'appliquent :

à l'élève, au professeur, aux deux ?

Qualités	Défauts
appliqué – assidu – clair – compétent – discipliné – juste – passionnant – persévérant – réfléchi – indulgent	agité – confus – étourdi – injuste – irrégulier – ennuyeux – incompétent – négligent – sévère – souvent absent

4 | LE SUFFIXE *-EMENT* OU *-ISSEMENT*

Ce suffixe donne des noms masculins
– enseigner → enseign*ement* (l'acte d'enseigner)
– avec les verbes en *ir* du deuxième groupe :
applaudir → applaud*issement*.

Formez des noms avec les verbes suivants.

amuser – étonner – rembourser – déranger – renseigner – changer – tutoyer – refroidir – payer – agir – avertir – ralentir

5 | DIFFICULTÉ – ESSAI – ÉCHEC – RÉUSSITE

Racontez l'histoire de la bande dessinée en utilisant les verbes du tableau.

facile/ aisé	essayer	échouer	réussir
difficile/compliqué	tenter	rater	arriver à (+ verbe)
possible/impossible	s'efforcer de (+ verbe)	manquer	parvenir à (+ verbe)

38
Les professions

1 LA FORMATION DES NOMS DE PROFESSION

a) Formation à partir d'un verbe.

→ suffixe *eur/euse*   vendre → un vend*eur* – une vend*euse*

→ suffixe *teur/trice*   présenter → un présenta*teur* – une présenta*trice*

→ suffixe *ant(e)*   enseigner → un enseign*ant* – une enseign*ante*
(Le féminin n'existe pas toujours)

Trouvez leur profession.

– Il élève des vaches.

– Elle décore les intérieurs.

– Il pêche les poissons.

– Elle coiffe ses clientes.

– Il fabrique des meubles

– Elle assiste son patron.

– Il dirige une école.

– Elle corrige les copies d'examen.

– Il crée des œuvres d'art.

– Il perçoit les impôts.

b) Formation à partir d'un nom.

→ suffixe *(i)er/(i)ère*   un fruit → un frui*tier* – une frui*tière*. (Beaucoup de noms de commerçants d'alimentation sont formés avec ce suffixe.)

→ suffixe *iste*   un piano → un pian*iste* – une pian*iste*
(Beaucoup de noms de musiciens et de spécialistes : un dermatologiste.)

→ suffixe *ien/ienne*   la musique → un music*ien* – une music*ienne*

→ suffixe *aire*   un disque → un disqu*aire*

→ suffixe *logue*   la radiologie → un radio*logue*
(avec les disciplines terminées par le suffixe *logie*)

Trouvez leur profession.

– Il tient une épicerie.

– Elle vend des antiquités.

– Il vend des fleurs.

– Elle joue de la harpe.

– Il travaille pour un journal.

– Elle vend des livres.

– Il étudie les sociétés.

– Elle tient une pharmacie.

– Elle dirige une banque.

– Il répare les installations électriques.

2 LES INTÉRÊTS ET LES INCONVÉNIENTS DES PROFESSIONS

Richard, facteur à Grenoble, 35 ans, marié, 2 enfants, parle de son métier.

a) Faites la liste des avantages et des inconvénients du métier de facteur.

Je vais vous étonner : oui, au niveau des relations, facteur, c'est très intéressant. Moi, maintenant, quand je fais ma tournée, j'ai des copains. Je ne suis pas seulement le facteur. Quand j'arrive, on dit : «Tiens, voilà Richard.» C'est formidable, non ? On se sent attendu. En milieu rural, nous sommes très utiles, surtout pour les personnes âgées. Parfois, il m'arrive d'être un confident pour des clients. Il y a des endroits où il n'y a que le facteur qui passe ; il devient quelqu'un d'important. Des déceptions ? Non, je n'en ai pas. Par contre, les bonnes surprises, c'est qu'on est bien accueilli. Sauf parfois par les chiens ! C'est un métier qui peut être dangereux. J'ai pas mal de temps libre puisque je travaille de 6 heures à 13 heures. Mais c'est un boulot stressant. Dès qu'on part du bureau on ne pense qu'à la tournée, on rentre dans la voiture et on devient une machine. On a la responsabilité de 270 clients et quand on arrive au bureau, on pose la caisse et on fait ouf. Ce qui est pénible et répétitif, c'est d'entrer et de sortir sans cesse de la voiture, plus de 200 fois en trois heures et demie. À la fin on est une machine à donner le courrier. Il m'arrive parfois de m'arrêter à des endroits par habitude, même s'il n'y a pas de courrier à distribuer ! On croit que le facteur ne se fatigue pas. On dit souvent : PTT, Petit Travail Tranquille. Ce n'est pas vrai.

Ce que je gagne ? Je suis à un indice relativement élevé parce que j'ai passé des concours. Au bout de quinze ans de métier, je touche 7 500 francs net par mois. C'est bien, non ? Mais je travaillerais mieux si je gagnais mieux. Là, je montrerais ma valeur !...

© *Le Nouvel Observateur*, 29 novembre 1990.

b) Pourquoi choisissent-ils cette profession ?
Cherchez des justifications dans la liste. Trouvez d'autres raisons.
Quels sont d'après vous les inconvénients de ces métiers ?

- *policier*
- *avocat*
- *représentant de commerce*
- *artiste de cinéma*
- *agriculteur*
- *fonctionnaire*
- *militaire*
- *ambassadeur*
- *écrivain*
- *ministre*

1. gagner de l'argent
2. éviter les tâches ennuyeuses
3. avoir des responsabilités
4. créer
5. prendre des initiatives
6. devenir célèbre
7. rester indépendant
8. voyager
9. se rendre utile
10. rencontrer des gens

11. satisfaire son goût du risque
12. satisfaire son goût du pouvoir
13. avoir du temps libre
14. recevoir des honneurs
15. changer la société
16. s'épanouir
17. se cultiver
18. avoir la sécurité de l'emploi
19. éviter le surmenage
20. fréquenter les grands de ce monde

39
Le bureau

1 LES OBJETS DU BUREAU

À quoi peuvent servir les objets suivants ?
Indiquez leur fonction normale mais aussi des utilisations
moins habituelles.

Exemple : une règle peut servir à tracer un trait, à souligner, mais aussi à se gratter le dos, à caler la table, etc.

Objets	Quelques fonctions
un agenda – une agrafeuse – un bloc-note – une calculette – un cendrier – une chemise – des ciseaux – un classeur – une gomme – une règle graduée – un tube de colle.	agrafer – coller – compter – couper – classer – effacer – mesurer – noter des rendez-vous – prendre des notes – ranger des documents – tracer – etc.

2 LE TÉLÉPHONE

Complétez avec les mots de la liste

15 heures. La secrétaire de M. Renaud est plongée dans la lecture d'un magazine passionnant. Tout à coup, le téléphone...... La secrétaire......
«Allô ! Oui, c'est bien les établissements Renaud.»
À ce moment précis M. Renaud rentre du déjeuner.
«Attendez un instant Madame. Ne......... pas ! Monsieur Renaud ! Vous avez eu un ...... de Gérard Coursil à 14 h. Il doit vous...... à 18 h. Comme je serai partie à cette heure-là, je lui ai dit de vous...... sur votre...... personnelle.
– Mais Christine vous savez bien qu'elle est en...... Ça fait deux jours que je n'arrive pas à avoir la...... Donnez tout de suite un...... à M. Coursil pour l'avertir !
– C'est que je n'ai pas son......
– Eh bien, cherchez-le dans l'...... ou sur le ...... Ce n'est pas sorcier !»

appeler
rappeler
sonner
décrocher
raccrocher
faire un numéro
un appel
un coup de fil
une ligne
la tonalité
être en dérangement
l'annuaire
le minitel

3 | LES MOYENS DE COMMUNICATION

Quel moyen de communication utiliseriez-vous pour...

a. Transmettre un curriculum vitae à une entreprise qui vous l'a demandé.

b. Contacter un ami que vous n'avez pas vu depuis dix ans.

c. Avertir votre famille que vous ne pouvez pas rentrer ce soir.

d. Féliciter un ami le jour de son mariage.

e. Avertir un(e) ami(e) qui n'a pas le téléphone que vous n'êtes pas libre ce soir.

f. Confirmer une réservation d'hôtel faite par téléphone.

g. Faire une déclaration d'amour.

h. Rompre une liaison amoureuse.

i. Vous réconcilier avec la personne avec laquelle vous avez rompu.

> le téléphone
> le télex
> le fax
> la lettre
> le télégramme
> un mot glissé sous la porte
> un cadeau symbolique (fleurs, etc.)
> la communication directe
> un messager
> etc.

4 | LES PRÉFIXES INDIQUANT LE TEMPS OU L'ESPACE

a) Donnez le sens des mots en italique.

– le théâtre d'*avant-garde*
– l'époque *post-industrielle*
– faire des *prédictions*
– des *après-skis*

– une action *préméditée*
– une *entrecôte*
– l'*après-guerre*
– un *interligne*

b) Comment appelle-t-on ?

1. le moment après le dîner
2. l'interruption entre deux actes d'une pièce de théâtre
3. l'espace entre deux points
4. la période qui précède la guerre
5. une réunion entre plusieurs ministres
6. l'époque qui précède l'apparition de l'écriture

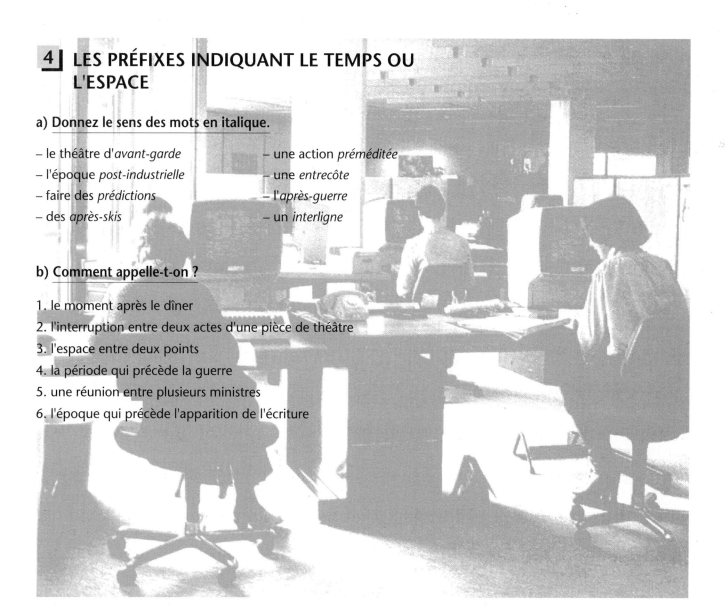

40
L'entreprise

1 | L'ORGANISATION DE L'ENTREPRISE

Lisez cette lettre envoyée par une employée de la société Lacta France
à un ancien collègue.

Montrez sous forme de schéma quelle est l'organisation de la société.

Faites la liste des verbes qui sont en relation avec la fonction
ou la carrière des membres du personnel.

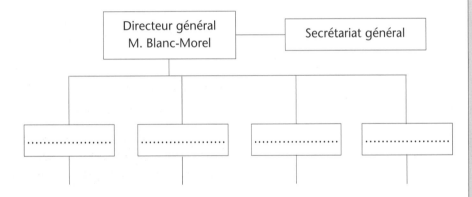

2 | LE PRODUIT, DE SA CONCEPTION À SA COMMERCIALISATION

Remettez dans l'ordre ces dix étapes de la commercialisation
d'un nouveau produit.

a. Fabriquer le produit.

b. Recevoir les commandes.

c. Cibler un marché potentiel.

d. Emballer les produits commandés.

e. Concevoir un nouveau produit.

f. Faire une maquette du nouveau produit.

g. Expérimenter le produit.

h. Expédier les commandes.

i. Faire une étude de rentabilité.

j. Lancer la publicité.

Mon cher Paul,

Depuis ton départ M. Blanc-Morel, notre PDG, a transformé l'organisation de LACTA FRANCE. L'horrible Mlle Durieux a été nommée à la direction financière. Elle tient ce service d'une main de fer et a même réussi à faire des économies.

Un nouveau service a été créé. Il s'occupe de la recherche de produits nouveaux et il est dirigé par Philippe Combast, un type très bien. Le père Falière contrôle toujours la production. Il est un peu âgé mais c'est un expert en techniques de fabrication. Combast et Falière s'entendent bien avec ce vieux singe de Boissard qui a toujours la direction du personnel. Nos centres de distribution ont augmenté depuis que Blanc-Morel a engagé Nathalie Pons, une fille très dynamique. On a un autre nouveau, Steve Adam, un Américain polyglotte qui s'occupe des affaires internationales. Le reste n'a pas changé. Je suis toujours à la publicité mais depuis que Malvoix a été renvoyé, je coiffe également la communication interne. Et bien sûr, au secrétariat général, on trouve toujours les éternelles Carole et Arielle. Elles t'adressent un grand bonjour...

Céline Pradelle

3 | L'INFORMATIQUE

Lisez cette publicité.

Avec le nouveau micro-ordinateur Amstrad 6128 Plus, tu peux bosser et t'éclater !

Sur tes disquettes, tu révises tes cours : tes maths, ton français, ta géo ou ton anglais. Tu programmes, tu écris sur traitement de textes. Rien de tel pour bien bosser et se perfectionner en micro-informatique.

Sur cartouche, éclate-toi comme un fou avec les meilleurs jeux dans tous les domaines : Arcade, Action, Simulation, Réflexion, etc.

L'Amstrad 6128 Plus, il est extra.

Pourquoi Plus ? Parce que c'est la nouvelle version de l'ordinateur le plus vendu en France. Et des Plus, il en a : un super look, un graphisme somptueux (32 couleurs parmi une palette de 4096), un son sté-

réo époustouflant et deux lecteurs : le lecteur de disquettes 3 pouces, compatible avec le 6128 et le lecteur de cartouches, pour lire les nouvelles cartouches Amstrad.

C'est un véritable micro-ordinateur, livré complet avec un écran stéréo, un clavier intégrant un lecteur de disquettes 3 pouces et un lecteur de cartouches Amstrad, une manette de jeu, et un jeu de simulation de course automobile «Burnin'Rubber» sur cartouche.

Et en plus, il ne coûte que 2 990 F TTC en version monochrome, ou 3 990 F TTC en version couleur.

* Prix public généralement constaté en version monochrome.

Player One n° 8, 1991

a) Dans la première phrase trouvez les mots populaires qui signifient : «travailler» et «s'amuser».

b) Relevez tous les mots qui appartiennent au vocabulaire de l'informatique.

c) Quelles sont les fonctions de cet ordinateur ? Pour quel public a-t-il été conçu ?

d) Réalisez une brève publicité pour un ordinateur d'usage courant pour adultes.

En plus du vocabulaire que vous avez relevé, utilisez :

un logiciel – entrer/sortir des données – une banque de données (avoir accès à... – une imprimante)

4 | LES SUFFIXES *-ABLE* ET *-IBLE*

Ils indiquent la possibilité.

Un marché *acceptable* → que l'on peut accepter.

Un bâtiment *indestructible* → que l'on ne peut pas détruire.

a) Donnez le sens.

un produit *incomparable* – un objet *incassable* – une proposition *convenable* – un interlocuteur *crédible* – un candidat *éligible* – une armée *invincible*.

b) Caractérisez.

– un projet que l'on peut réaliser.
– un produit qui peut s'enflammer.
– un très mauvais plat.
– un système que l'on peut perfectionner.
– une action que l'on ne peut pas pardonner.
– une lettre très mal écrite.

41
L'industrie

1 | LES SOURCES D'ÉNERGIE

Faites la liste des avantages et des inconvénients de chaque source d'énergie.

 Les réserves de gaz et de pétrole actuellement découvertes sont importantes mais seront épuisées dans 33 ans. L'essence qui brûle dans les moteurs des voitures dégage un gaz très toxique.

 Les réserves mondiales de charbon sont 7 fois plus importantes que celles de gaz ou de pétrole. On pense pouvoir les exploiter encore pendant 250 ans. La combustion du charbon dégage un gaz qui provoque les pluies acides.

 L'énergie hydro-électrique fournit 6 % de l'énergie mondiale. Elle ne s'épuisera jamais mais seuls les pays riches en eau peuvent l'exploiter.

 L'énergie géothermique utilise les sources d'eau chaude pour produire de l'électricité. Son exploitation est complexe. On n'a pas encore trouvé de technologie pour exploiter l'énergie des volcans.

 L'énergie nucléaire permet de produire de l'électricité grâce à l'uranium. Elle garantit une certaine indépendance à la France puisque 70 % de son électricité vient du nucléaire. Mais son exploitation peut être très dangereuse. Les déchets nucléaires restent actifs pendant des milliers d'années.

 La quantité d'énergie solaire qui arrive sur terre en un an est plus de 10 000 fois supérieure aux besoins mondiaux. C'est une énergie propre mais elle est chère et on ne sait pas très bien la stocker.

Type d'énergie	Source	Avantages	Inconvénients
énergie pétrolière	pétrole gaz naturel	....	....

2 | LES INDUSTRIES

Par quel type d'industrie les objets suivants sont-ils fabriqués ?

Types d'industries

a. aéronautique

b. agro-alimentaire

c. automobile

d. chimique

e. électronique

f. mécanique

g. métallurgique

h. navale

i. pharmaceutique

J. textile

1. un autocar – 2. des aliments pour chien – 3. de l'aspirine – 4. un bateau de plaisance – 5. un camion – 6. des conserves de confiture – 7. un déodorant – 8. un détergent – 9. un drapeau – 10. de l'engrais – 11. du fil de fer – 12. une machine-outil agricole – 13. un ordinateur – 14. un planeur – 15. un plat surgelé – 16. un portail en fer – 17. un porte-avion – 18. un produit de beauté – 19. un radar – 20. un réacteur d'avion – 21. un rideau – 22. du sirop contre la toux – 23. un système d'alarme – 24. des rails – 25. un sous-marin – 26. une tente – 27. une tondeuse à gazon – 28. un train d'atterrissage – 29. une voiture de sport – 30. un vélo

3 | LES VERBES DE CAUSE ET DE CONSÉQUENCE

Présentez les causes et les conséquences de la crise de l'industrie textile en utilisant les verbes du tableau.

De la conséquence à la cause	*De la cause à la conséquence*	
être causé par…	causer	donner lieu à
être dû à …	produire	être à l'origine de
découler de …	provoquer	donner naissance à
venir de …	créer	entraîner
résulter de …	déclencher	

La crise de l'industrie textile

Causes

– Main-d'œuvre plus chère en France que dans certains pays étrangers.

– Mutation rapide des matériaux (apparition des fibres synthétiques dans les années 50).

– Changement rapide des modes.

– Adaptation trop lente aux modes, matériaux et techniques.

– Mode venant souvent de l'étranger (USA, Italie).

– Pas de production de coton en France.

Conséquences

– Chute des exportations.

– Augmentation des importations.

– Fermeture d'usines (surtout des moyennes entreprises).

– Implantation d'usines dans des pays où la main-d'œuvre est bon marché.

– Chômage.

– Travail au noir (certaines entreprises engagent de la main-d'œuvre sous-payée et non déclarée).

– Reconversion des entreprises (haute-couture, produits de luxe, diversification des produits).

«La crise de l'industrie textile est due au coût élevé de la main-d'œuvre……»

42
Le commerce

1 ACHETER

Complétez avec les mots de la liste.

Deux mères de famille :

«C'est bientôt la rentrée des classes. Il faut que j'habille les enfants.

– Tu devrais aller à la «Fouillerie». Ils vont bientôt fermer le magasin pour rénovation. Alors ils font......... Ils .... tout leur stock à des prix imbattables. Et je t'assure, il y a vraiment des .... ! Hier, j'ai .... trois pantalons, six chemises et des chaussettes. Comme ça faisait dans les 1 500 F, j'ai osé ...... le prix total. Eh bien, ils m'ont fait .... de 100 F.

Mais fais attention quand tu .... à la caisse. Il y a un monde fou et ils sont débordés. J'étais avec Martine qui avait juste pris une chemise à 40 F. Elle a payé avec un billet de 200 F. La caissière lui a .... sur 100 F. Martine ne s'en est aperçue qu'une fois dehors. Alors un bon conseil : ne paie pas en .... ! Paie avec .... ou ....

une affaire

un rabais

des soldes

payer

en liquide

en espèces

une carte de crédit

un chèque

acheter

liquider

marchander

rendre la monnaie

(*STAFF* n° 2, trimestriel, février 1991)

2 VENDRE

Lisez ce document.

Quelles sont les qualités du vendeur idéal ?

Faites brièvement le portrait du mauvais vendeur.

Face à un vendeur redoutable, l'acheteur doit faire preuve de certaines qualités.
Énumérez :
→ les qualités du bon acheteur.
→ les défauts du mauvais acheteur (l'acheteur idéal pour le vendeur).

Typologie des vendeurs

■ *Le charmeur* : il sait établir un climat qui favorise les situations qui lui permettront de développer une véritable stratégie de séduction. Pour séduire, il sait jouer de sa voix et de ses gestes.

■ *Le copain* : très sociable, il sait avant tout nouer des relations qui deviennent vite très conviviales. Il peut avoir un peu de mal à conclure.

■ *L'égal à égal* : il a sensiblement les mêmes dispositions que le copain, si ce n'est qu'il introduit un peu plus de distance dans ses relations.

■ *Le rouleau-compresseur* : il ne s'agit pas d'un bulldozer, car ce qui le caractérise ce n'est pas tant son énergie que sa ténacité. Là où il est le meilleur, c'est pour conclure une vente. C'est celui qu'on met sur les gros coups.

■ *Le savant* : passionné par son produit, c'est un véritable technicien qui pousse le raffinement jusqu'à connaître parfaitement les produits concurrents. Ses arguments sont souvent impeccables et donc décisifs pour emporter une vente.

■ *Le caméléon* : lorsqu'il entre dans un bureau, il prend la couleur de la moquette ! Ce n'est pas grâce à un manque de personnalité, mais plutôt grâce à une très grande capacité d'écoute. En effet, écoutant beaucoup le client, il sait très vite faire la synthèse de la demande et conclure dans la facilité.

3 | IMPORTER – EXPORTER

Faites un graphique montrant l'évolution du commerce français du papier de 1988 à 1990 ainsi que ses perspectives d'avenir jusqu'en 1994.

Quelles sont les raisons de cette évolution ?

BILAN DU COMMERCE DU PAPIER

Ces dernières années, le déficit extérieur du secteur papier n'avait cessé de grimper. En deux ans, il est passé de 11 milliards de francs à 15,5. Mais des signes d'espoir apparaissent, puisqu'en 1990 ce chiffre s'est stabilisé à 15,4 milliards de francs contre 15,5 en 1989. En 1990, les exportations françaises ont progressé de 8,4 % par rapport à l'an-née précédente (2,2 millions de tonnes), tandis qu'on importait 3,8 millions de tonnes, soit + 6,6 %. Ce coup de frein tient à la chute des cours mondiaux de la pâte à papier, mais aussi à la mise en route, dans l'Hexagone, de nouvelles usines. Au total, la capacité de production de l'industrie française devrait atteindre 10 millions de tonnes de papier-carton en 1993, contre un peu plus de 7 millions l'année dernière, pour une consommation de 8,72 millions de tonnes. La seule production de pâte à papier s'élè-vera à 3,5 millions de tonnes en 1994, contre 2,8 en 1990. Le déficit commercial devrait donc se réduire peu à peu.

Le Guide pratique de l'exportation. Édition 1991. Numéro hors série du *Nouvel Économiste.*

4 | L'EMBALLAGE

Sous quelle forme se présentent en général les objets suivants ?

des allumettes – des bonbons – des cachets d'aspirine – du ciment – des ciga-rettes – de la colle – de la confiture – de l'essence – de l'encre pour stylo – de l'eau minérale – des haricots en conserve – de l'huile pour moteur – des livres – de la lessive – du miel – de la peinture – des paquets de cigarettes – des pommes de terre – du parfum – du vin.

Types d'emballages

une boîte – une bouteille – un bidon – une caisse – une cartouche – un fla-con – un paquet – un pot – un sac – un tube

5 | DONNER ET RECEVOIR

Complétez avec un synonyme de donner.

– Henri ...... un bouquet de fleurs à sa fiancée.

– Le vieux célibataire ...... sa fortune à son neveu.

– Le collectionneur ...... un timbre grec contre un timbre espagnol.

– Hervé ...... 1000 F à Michel qui les lui rendra dans huit jours.

– La Croix Rouge ...... de la nourriture et des couvertures aux sinistrés.

– Mme Renaud a ...... sa fillette à sa voisine pendant qu'elle allait chez le médecin.

– La vieille ferme en ruines a été ...... aux vagabonds.

– Dans le métro, il a ...... sa place à une dame âgée.

abandonner

avancer

céder

confier

distribuer

échanger

léguer

offrir

43
L'agriculture

1 | LES TERRES ET LES RESSOURCES AGRICOLES

Trouvez les productions agricoles des régions suivantes :

Les Causses
Plateau calcaire au sud du Massif central.
Végétation très dépouillée et rase.
Climat rude : hivers froids, étés chauds et secs.

La Camargue
Région marécageuse correspondant au delta du Rhône.
Climat méditerranéen : hivers doux, étés chauds.

Les Hautes Pyrénées
Hauts plateaux herbeux. Larges zones de pâturages. Étroites vallées. Grandes forêts. Climat de montagne froid et neigeux en hiver, pluvieux le reste de l'année.

Le Comtat-Venaissin
Plaine du Rhône et de la Durance.
Climat méditerranéen.

a
Élevage de vaches laitières et de moutons (pour la laine).
Culture du blé dans les vallées.
Scieries.

b
Légumes (tomates, haricots, etc.)
Arbres fruitiers (cerises, pêches, abricots, melons, etc.)
Oliviers et vignes.

c
Élevage de moutons et de brebis.
Fromages (Roquefort).
Peaux d'agneaux pour la fabrication de gants.

d
Culture du riz et de la vigne.
Élevage de taureaux de combat et de chevaux.

2 | LA NATURE ET LES ACTIVITÉS AGRICOLES

Faites correspondre l'état de la nature et les activités agricoles avec les saisons.

Saisons	État de la nature	Activités agricoles
printemps	• chute des feuilles • fruits mûrs • apparition des bourgeons • les fleurs s'épanouissent	• désherber • irriguer, arroser • fertiliser le sol • labourer
été	• fruits verts • naissance des bourgeons	• moissonner le blé • planter les jeunes arbres
automne	• arbres sans feuille • fleurs en boutons • croissance des feuilles	• traiter les arbres fruitiers contre les parasites • récolter les fruits • semer
hiver		• tailler les arbres • vendanger la vigne

3 | LES FRUITS ET LES LÉGUMES

a) Quels fruits et quels légumes
reconnaissez-vous dans ce tableau ?

b) Parmi les fruits ci-dessous,
lesquels pouvez-vous qualifier de :

– juteux

– secs

– sucrés

– acides

– aqueux

un abricot	une châtaigne	une fraise	une noix de coco	une pêche
une amande	un citron	un kiwi	une olive	une poire
un ananas	une datte	un melon	une orange	une pomme
une banane	une figue	une myrtille	un pamplemousse	une prune
une cerise	une framboise	une noix	une pastèque	du raisin

c) Composez votre salade de fruits idéale.

4 | LES ANIMAUX ET LES IDÉES

Trouvez quelles sont les idées que les Français associent
à chacun des animaux suivants.

– l'âne	– le chien
– le coq	– la poule
– l'oie	– le poisson
– le pigeon	– le porc
– le mouton	– le veau

– une jeune fille ignorante

– un élève ignorant

– une femme entretenue

– la multitude

– la France

– le vendredi

– le 1er avril

– le voyage

– la richesse

– l'apathie

– la bêtise

– la fidélité

– la grossièreté

– l'orgueil

– la naïveté et la crédulité

– l'uniformité

– la saleté

– l'obstination

Les services

1 | LES SERVICES POUR LES PETITS PROBLÈMES QUOTIDIENS

Dans quels cas fait-on appel à ces services ?

Imaginez une ou plusieurs situations pour chaque annonceur.

Exemple : Déménageurs bretons : → Pierre a été muté à Marseille. Il doit déménager.

→ Jacqueline a acheté une immense armoire chez un antiquaire. Elle veut la faire transporter chez elle.

La Montagne – 13 avril 1981

2 | LES SERVICES ET LA VIE QUOTIDIENNE

Voici ce que doit faire Madame Martin aujourd'hui.
Où doit-elle se rendre ?

a. Retirer de l'argent : à la banque.

b. Payer son impôt sur le revenu : ....

c. Se procurer le programme du festival d'été : ....

d. Faire la vidange de la voiture :.........

e. Faire vacciner son chien :.........

f. Prendre une assurance pour son chien : ....

g. Se faire rembourser des frais de maladies : ....

h. Faire faire une fiche d'état civil : ......

i. Acheter du pain : ....

j. Acheter un rôti : ....

k. Acheter des cigarettes : ....

l. Acheter des boutons pour la chemise de son fils : ....

m. Se faire prédire son avenir : ....

n. Retirer l'acte de propriété d'un appartement qu'elle vient d'acheter : ....

o. Se faire faire des soins de beauté : ....

p. Se relaxer : ....

3 | LES DISTRIBUTEURS

Dans le monde moderne, les services sont de plus en plus souvent remplacés par des distributeurs automatiques.

a) Remettez dans l'ordre les différentes consignes données
par un distributeur de billets (une billetterie automatique).

```
1. Choisissez votre opération : retrait, solde,
relevé.

2. Retirez votre argent.

3. Introduisez votre carte.

4. Attendez votre reçu.

5. Faites votre numéro de code et validez.

6. Vous pouvez retirer 1 800 F.

7. Retirez votre carte.

8. Choisissez votre montant.
```

b) Imaginez un distributeur original. Rédigez les consignes qu'il donne.

Exemple : un parfumeur automatique – une machine à calmer les stressés – etc.

LA DESCRIPTION ET LE RÉCIT

45
L'espace

1 | LA LOCALISATION DANS L'ESPACE

Dans quelques jours un important chef d'État passera une journée
et une nuit dans ce village. Pour prévenir un éventuel attentat,
son chef de sécurité note avec précision tout ce qu'on peut voir
de la chambre où dormira le président.

Rédigez ces notes.
Utilisez la plupart des prépositions et adverbes de la liste.

- **Prépositions** (se construisent seulement avec un nom) : *dans – sur – sous – entre – le long de.*

- **Prépositions et adverbes** : *au milieu (de) – au fond (de) – en face (de) – au bord (de) – autour (de) – au sommet (de) – à côté (de) – à droite (de) – à gauche (de) – au-dessus (de) – au-dessous (de) – devant – derrière – à travers.*

2 | LES VERBES DE LOCALISATION

Dans chaque phrase, remplacez les éléments soulignés par un verbe de la liste. (Il faut parfois modifier la construction.)

> Chers amis,
> Je vous écris de Marrakech où je passe d'agréables vacances. Le cadre est superbe. La ville <u>est au pied</u> des hautes montagnes de l'Atlas. Autour de la ville, <u>il y a</u> des palmeraies et des champs d'oliviers. Le Club Méditerranée <u>est juste à côté</u> de la place principale. Tout près de là, <u>il y a</u> le haut minaret de la Koutoubia. Un peu plus loin, <u>il y a</u> le souk, le marché couvert. Il est immense. Là, <u>sont disposées côte à côte</u> des centaines de petites boutiques. Nous avons eu beaucoup de peine <u>à passer d'un bout à l'autre</u> de ce dédale de petites ruelles. Nous avons <u>marché le long des</u> boutiques des vendeurs de cuivres, puis, nous avons découvert le coin des teinturiers qui est un peu plus loin…

se trouver
se situer
côtoyer
traverser
longer
dominer
entourer
s'élever
s'aligner

3 | L'ESPACE DES JARDINS

Lisez cette présentation
des jardins arabes.
Relevez tous les mots qui décrivent
l'organisation de l'espace.

Comment est organisé l'espace :

→ dans un jardin à la française ?
→ dans un jardin à l'anglaise ?

Comment organiseriez-vous
le jardin dont vous rêvez ?

LES JARDINS ARABES

Le XIIIᵉ siècle est marqué autour de la Méditerranée, mais principalement en Espagne du Sud et au Maroc, par un développement extraordinaire de la civilisation arabe, développement accompagné par la construction de palais, de mosquées et bien sûr de jardins somptueux.

S'ils sont petits, ils sont cependant logiques, ordonnés, proportionnés et témoignent de beaucoup de recherches et de sensibilité. Ils s'intègrent toujours aux bâtiments (palais ou galeries) qu'ils prolongent comme un salon de plein air, fait pour y vivre.

Très réguliers dans leur dessin, utilisant beaucoup la maçonnerie, les éléments dominants sont l'eau, la couleur et les parfums. Ces jardins sont soit de minuscules «patios», délicatement décorés, soit des cours importantes, ornées tout simplement d'un bassin et de haies taillées, soit enfin de véritables jardins intérieurs parfaitement géométriques où l'on retrouve d'ailleurs le caractère, en beaucoup plus riche, des jardins de cloître.

J. D. Nessmann, *Créer, entretenir son jardin*
Ed. SAEP. Ingershein 68000 Colmar

Jardin à l'anglaise

Jardin à la française

46
Le mouvement

1 LA FUITE

Lisez ce texte et complétez le tableau.

Jacques Lantier est conducteur de locomotive. De temps en temps, la folie s'empare de lui et il est pris par le désir de tuer. Alors, il fuit.

> Jacques fuyait dans la nuit mélancolique. Il monta au galop le sentier d'une côte, retomba au fond d'un étroit vallon. Des cailloux roulant sous ses pas l'effrayèrent, il se lança à gauche parmi des broussailles, fit un crochet qui le ramena à droite, sur un plateau vide. Brusquement, il dévala, il buta contre la haie du chemin de fer : un train arrivait, grondant, flambant ; et il ne comprit pas d'abord, terrifié. Ah ! oui, tout ce monde qui passait, le continuel flot, tandis que lui agonisait là ! Il repartit, grimpa, descendit encore. Toujours maintenant il rencontrait la voie (…)
>
> Ce pays désert, coupé de monticules, était comme un labyrinthe sans issue, où tournait sa folie, dans la morne désolation des terrains incultes.
>
> Zola, *La Bête humaine*, 1890

Verbes et expressions de mouvement	Lieux traversés
fuir – monter au galop …	le sentier d'une côte …

2 LE MOUVEMENT

Voici le plan de la bataille imaginaire des «Ripoux» contre les «Pourris».
Décrivez les mouvements des deux armées en utilisant
le vocabulaire du tableau.

Partir de… monter/descendre – redescendre – traverser – contourner – longer – éviter – avancer/reculer – entrer (dans)/sortir (de) – se déplacer (vers) – (se) retourner – (re) partir – etc.

«L'armée des Ripoux part de son camp, situé au sud. Elle avance vers la rivière…»

Imaginez une parodie de bataille pour décrire la querelle entre deux groupes.

(Exemple : la bataille des fumeurs et des non-fumeurs.)

3 | PORTER, MENER ET LEURS DÉRIVÉS

Complétez en utilisant le vocabulaire de la liste.

Demain, Madame Martin et ses deux filles doivent prendre le train pour aller passer des vacances chez leurs amis Lanvin.

Dialogue entre Monsieur et Madame Martin :

«Tes affaires sont prêtes ? Qu'est-ce que tu…?

– Seulement cette malle.

– Mais elle est énorme. On ne pourra jamais la… !

– On va la faire… par le service spécial de la gare.

– Et tu sais qu'il faut… un cadeau aux Lanvin.

– J'y ai pensé. J'ai acheté un coffret d'opéra : *La Traviata*.

– Mais tu sais bien que Philippe ne… pas l'opéra. Il faut trouver autre chose. Écoute, je vais…ce coffret et le changer pour des disques de musique classique.

– Tu n'avais pas un rendez-vous cet après-midi ?

– Si, mais je vais le… à après votre départ. J'ai trop de choses à faire cet après-midi. J'ai promis à Arielle de l'… en ville. De retour, je … Perrine qui est à la danse.

– J'ai envie de venir avec toi. Tu m'…

– Décidément, je n'arrête pas de faire le taxi ici. Avec ces trois femmes à la maison, je me fais vraiment… par le bout du nez.»

porter
apporter
rapporter
emporter
transporter
supporter
reporter
mener
emmener
amener
ramener

47
Couleurs et consistance

1 LES COULEURS

Relevez tous les éléments du paysage qui figurent dans ce poème (astres, végétaux, animaux, etc.).
Relevez les impressions qui sont associées à ces éléments (couleurs, formes, mouvements, bruits, etc.).
Quel est le type d'impression qui domine ?

Exemple : la lune → rouge (couleur)
l'horizon → brumeux (couleur)
le brouillard → danser (mouvement)

(1) une luciole : un ver luisant
(2) un chat-huant : rapace nocturne
(3) Vénus : l'étoile du berger

L'HEURE DU BERGER

La lune est rouge au brumeux horizon ;
Dans un brouillard qui danse, la prairie
S'endort fumeuse, et la grenouille crie
Par les joncs verts où circule un frisson.

Les fleurs des eaux referment leurs
corolles ;
Des peupliers profilent aux lointains,
Droits et serrés, leurs spectres incertains ;
Vers les buissons errent les lucioles (1) ;

Les chats-huants (2) s'éveillent, et sans
bruit
Rament l'air noir avec leurs ailes lourdes,
Et le zénith s'emplit de lueurs sourdes.
Blanche, Vénus (3) émerge, et c'est la nuit.

Verlaine, *Poèmes Saturniens*

2 LES COULEURS ET LES OBJETS QUOTIDIENS

Trouvez le sens des expressions suivantes :

– *La carte verte*
  Le feu vert

– *Le feu rouge*
  La lanterne rouge
  La liste rouge

– *La ligne jaune*
  Le maillot jaune

– *La carte bleue*
  Le steak bleu
  Le cordon bleu

– *Le livre blanc*
  La carte blanche

– *La carte grise*
  La matière grise

– *L'humour noir*
  Le marché noir
  Les idées noires

a. Document de propriété du véhicule
b. Document d'assurance du véhicule
c. On doit s'arrêter
d. On peut passer
e. On ne doit pas la dépasser
f. Un excellent cuisinier
g. Il est à peine cuit
h. Avec elle on peut payer sans argent
i. Vente clandestine
j. Le dernier
k. Le premier (dans la course du Tour de France)
l. Plaisanterie méchante
m. Pensées tristes
n. Liste de noms qui ne sont pas dans l'annuaire téléphonique
o. On a toute liberté
p. Il contient des révélations
q. Vous l'avez fait travailler pour faire cet exercice

3 | LES SUFFIXES -EUR ET -ÂTRE

a) *-eur* permet de produire des noms à partir des adjectifs de couleur.

blanc → *la blancheur*   noir → *la noirceur*

b) *-âtre* ajouté à un adjectif de couleur donne un adjectif qui a une valeur péjorative.

le teint *blanc* de la jeune fille – le teint *blanchâtre* du vieux bibliothécaire

Complétez avec un nom en *-eur* ou un adjectif en *-âtre*.

– La sauce avait une couleur...... qui n'était pas très appétissante.

– La fièvre lui avait donné des...... au visage.

– Il portait un costume...... dont la couleur rappelait les algues de l'étang.

– Toutes les méchancetés qu'il avait commises montraient bien la...... de son âme.

4 | LA CONSISTANCE

Complétez avec le contraire de l'adjectif en italique.

a. Françoise avait les membres un peu *raides*. Elle a fait de la gymnastique. Maintenant elle est très......

b. La surface du mur était *rugueuse*. Après un bon ponçage elle est......

c. Pour soutenir la plante on avait planté une baguette trop *flexible*. On l'a remplacé par une tige de fer......

d. Cette plaquette de beurre est *molle*. Mettez-la dans le réfrigérateur pour qu'elle soit plus......

e. Ce steak est trop *dur*. Il faut le faire moins cuire pour qu'il soit plus......

f. De 5 à 7 heures, la circulation à Paris est *difficile*. Deux heures après, elle est plus......

g. Ce meuble est trop *fragile* pour être utilisé au rangement de mes outils. Il m'en faut un plus......

h. Si vous ne voulez pas avoir les cheveux...... et...... utilisez ce shampooing ! Ils seront *secs* et *souples*.

collant
dur
fluide
gras
lisse
solide
rigide
souple
tendre

48
Formes et matière

1 LES FORMES GÉOMÉTRIQUES

a) Étudiez ce poème de Supervielle.

Relevez tous les mots qui appartiennent au vocabulaire de la géométrie et des mathématiques.
Relevez les mots et les images qui sont associés à ce vocabulaire.
Essayez d'interpréter ces images parfois surréalistes.

Exemple : cercle → hésitant et sourd.
C'est peut-être le cercle tracé au tableau au cours d'une leçon de géométrie. Les enfants hésitent (ils ne comprennent pas bien l'explication) ou sont sourds aux explications.
C'est peut-être aussi le cercle des élèves…

b) Commentez les formes de ce tableau.

Fernand Léger : Femme tenant un vase

Mathématiques

Quarante enfants dans une salle,
Un tableau noir et son triangle,
Un grand cercle hésitant et sourd
Son centre bat comme un tambour.

Des lettres sans mots ni patrie
Dans une attente endolorie.

Le parapet dur d'un trapèze,
Une voix s'élève et s'apaise
Et le problème furieux
se tortille et se mord la queue.
La mâchoire d'un angle s'ouvre.
Est-ce une chienne ? Est-ce une
louve ?
Et tous les chiffres de la terre,
Tous ces insectes qui défont
Et qui refont leur fourmilière
Sous les yeux fixes des garçons.

Jules Supervielle, in *Gravitations*
Gallimard

– un cercle – un rond – le centre
un carré – un rectangle –
un losange – un triangle –
un angle

– une forme circulaire, rectangu-
laire, ovale

– une ligne droite, courbe, brisée,
perpendiculaire, deux lignes
parallèles

– un volume, une sphère,
un cube, un cylindre, une pyramide

2 | LA MATIÈRE

a) Classez les produits suivants dans le tableau :

l'acier – l'argent – le bois – la brique – le caoutchouc – la céramique – la cire – le coton – le cuivre – le cuir – le fer – les fibres de carbone – l'ivoire – la laine – le lin – le marbre – l'or – la paille – la pierre – le plastique – le plâtre – le plomb – le sable – la soie naturelle – la soie artificielle – le textile synthétique – le verre

Minéraux (ou d'origine minérale)	Métaux	Produits d'origine végétale	Produits d'origine animale	Produits de synthèse
	l'acier			
....	....	....	....	....

b) De quelle matière sont en général constitués les objets suivants ?

– un coffre-fort ......

– un meuble ancien ......

– une statue grecque ......

– une alliance
(bague de mariage) ......

– une épée au Moyen Âge ......

– une balle de tennis ......

– un ballon de football ......

– une ampoule électrique ......

– un livre ......

– un tuyau d'écoulement ......

– des ski récents ......

– un fil de pêche…

3 | LES EMPLOIS FIGURÉS DES TERMES DE MATIÈRE

Trouvez le sens des expressions en italique.

a. Il a bu trop d'alcool hier soir. Ce matin, il a *la gueule de bois*.

b. Il passe ses nuits à jouer dans les casinos. Un soir il gagne une *brique*, un autre soir il se retrouve *sur la paille*.

c. Le directeur conduit son entreprise d'*une main de fer*.

d. Quand j'ai annoncé au directeur que je quittais l'entreprise, il *est resté de marbre*. Il n'a pas eu un mot gentil à mon égard. Cet homme a *un cœur de pierre*.

e. Jacques a commis une erreur en me conseillant d'acheter la voiture de son ami. Mais *je ne veux pas lui jeter la pierre*. Je suis persuadé qu'il a pensé que je faisais une bonne affaire. C'est un homme qui a *un cœur d'or*.

f. L'an dernier, aux sports d'hiver, je me suis cassé la jambe. J'espère que ça ne m'arrivera pas cette année. *Je touche du bois*.

1. sans argent

2. bon et serviable

3. conjurer le mauvais sort

4. rester sans réaction

5. avoir la bouche pâteuse et la tête lourde

6. être insensible

7. un million d'anciens francs (10 000F)

8. accuser

9. énergiquement

49
Poids et dimensions

1 LA FORME, LE POIDS, LA DIMENSION

Complétez le tableau en mettant l'adjectif, le nom ou le verbe.

CONTRAIRE

Adjectif	Nom	Verbe
large	la largeur	élargir
long		
haut		
		agrandir
vide		
	la lourdeur	
		épaissir
creux		
	la profondeur	

Adjectif	Nom	Verbe
étroit	l'étroitesse	rétrécir
court	(1)	
	(2)	
	le plein	
plat		

(1) pas de nom formé avec cet adjectif
(2) le mot bassesse a un sens moral

2 LES EMPLOIS FIGURÉS DES ADJECTIFS DE DIMENSION

Pour chaque emploi trouvez un synonyme de l'adjectif.

Bas

une table *basse*	grave
une voix *basse*	méprisable
un prix *bas*	aux pieds courts
un comportement *bas*	bon marché

Haut

un plafond *haut*	important
une voix *haute*	aiguë
un *haut* fonctionnaire	ancienne
la *haute* Antiquité	élevé

Long

des cheveux *longs*	qui dure
un *long* voyage	puissant et influent
avoir le bras *long*	ambitieux
avoir les dents *longues*	qui n'ont pas été coupés

Court

une distance *courte*	avoir oublié
avoir la vue *courte*	être myope
avoir des vues *courtes*	brève
avoir la mémoire *courte*	limitées

Grand

un homme *grand*	nombreuse
un *grand* homme	de haute taille
une *grande* foule	important
au *grand* jour	en pleine lumière

Petit

une *petite* entreprise	petit et sympathique
un *petit* restaurant	jeune
mon *petit* frère	l'aube
le *petit* jour	modeste

Étroit

une rue *étroite*	serrés
une majorité *étroite*	vite traversée
un esprit *étroit*	borné
des liens *étroits*	faible

Large

une rue *large*	tolérant
un vêtement *large*	généreuse
des idées *larges*	presque un boulevard
une personne *large*	ample

3 | L'IMPORTANCE

Choisissez dans le tableau le (ou les) adjectif(s) qui conviendrait

pour exprimer l'importance :

de la hauteur
a. d'une montagne
b. d'un édifice
c. d'une personne
d. d'un édifice sur une montagne
e. d'une pensée

du volume
a. d'une bibliothèque
b. d'un paquet
c. d'une maison
d. d'un monument
e. d'un animal
f. des affaires traitées par une entreprise

du poids
a. d'un paquet
b. d'un travail
c. d'une atmosphère

de la superficie
a. d'un champ
b. d'un appartement
c. du ciel

de la quantité
a. d'étoiles dans le ciel
b. de personnes dans une soirée
c. de voyageurs dans un train
d. d'idées que l'on peut avoir sur un sujet
e. de pluie tombée

abondant – colossal – dominant – démesuré – entassé – étendu – énorme – écrasant – élevé – élancé – gigantesque – innombrable – immense – infini – illimité – lourd – multiple – nombreux – pesant – spacieux – varié – vaste – volumineux

4 | LA QUANTITÉ

Sous quelle forme trouve-t-on les choses suivantes quand

elles sont en quantité ?

Un groupe d'amis

……… de livres

……… de cigarettes

……… de personnes devant un accident

……… de spectateurs devant l'entrée d'un cinéma

……… de gens dans les rues un jour de fête.

……… de sable

……… de voyous

… …… d'abeilles

un attroupement – une bande – un essaim – une file – une foule – un paquet – une pile – un tas

50
Chronologie et durée

1 LE CALENDRIER

Examinez cet extrait du calendrier des Postes 1990.

Retrouvez :

– les noms des jours de la semaine

Trouvez dans cet extrait :

– les fêtes religieuses
– les fêtes civiles ou familiales
– Quand souhaiteriez-vous sa fête à l'actrice Sophie Marceau ?

Les travailleurs pourront-ils bénéficier de «ponts» ?

(Lorsque deux jours de congés officiels ne sont séparés que par une journée de travail, le patron ou l'administration donne parfois congé sur l'ensemble de la période. On dit alors qu'on «fait le pont».)

Quels autres types de renseignements pouvez-vous tirer de ce calendrier ?

2 LES FÊTES DE L'ANNÉE

Classez les différentes fêtes de l'année dans le tableau :

– Le jour de l'An
– Pâques
– Le 8 Mai
– L'Ascension
– La Pentecôte
– La fête des mères
– La fête des pères
– La fête de la musique
– Le 14 Juillet
– L'Assomption (15 août)
– La Toussaint
– Le 11 Novembre
– Noël (25 décembre)
– La Saint-Sylvestre (31 décembre)

Fêtes religieuses	Fêtes profanes	Grandes commémorations nationales
....	....	....
....	....	....

Extrait du calendrier (colonnes) :

13 S	....
14 D	Nina
15 L	Remi 03
16 M	Marcel
17 M	Roseline
18 J	Prisca
19 V	Marius
20 S	Sébastien
21 D	Agnès
22 L	Vincent 04
23 M	Barnard
24 M	François S.
25 J	Conv. s. Paul
26 V	Paule
27 S	Angèle
28 D	Thomas Aq.
29 L	Gildas 05
30 M	Martine
31 M	Marcelle

12 L	Félix 07
13 M	Béatrice
14 M	Valentin
15 J	Claude
16 V	Julienne
17 S	Alexis
18 D	Bernadette
19 L	Gabin 08
20 M	Aimée
21 M	Pierre Dam.
22 J	Isabelle
23 V	Lazare
24 S	Modeste
25 D	Roméo
26 L	Nestor 09
27 M	Mardi Gras
28 M	Cendres ja

COMPUT 1990
Nombre d'or 15, Cycle solaire 11
Épacte 3, Lettre dominicale G

12 L	Justine 11
13 M	Rodrigue
14 M	Mathilde
15 J	Louise
16 V	Bénédicte a
17 S	Patrice
18 D	Cyrille
19 L	Joseph 12
20 M	Herbert
21 M	Clémence
22 J	Mi-Carême
23 V	Victorien a
24 S	Annonciation
25 D	Humbert
26 L	Larissa 13
27 M	Habib
28 M	Gontran
29 J	Gwladys
30 V	Amédée a
31 S	Benjamin

AVRIL
Les jours augmentent de 1 h 40

1 D	Hugues
2 L	Sandrine 14
3 M	Richard
4 M	Isidore
5 J	Irène
6 V	Marcellin a
7 S	J.-B. Salle
8 D	Rameaux
9 L	Gautier 15
10 M	Fulbert
11 M	Stanislas
12 J	Jules
13 V	Vend. St ja
14 S	Maxime
15 D	PAQUES
16 L	Benoît L. 16
17 M	Anicet
18 M	Parfait
19 J	Emma
20 V	Odette
21 S	Anselme
22 D	Alexandre
23 L	Georges 17
24 M	Fidèle
25 M	Marc
26 J	Alida
27 V	Zita
28 S	Valérie
29 D	S. Déportés
30 L	Robert 18

Printemps : le 20 mars à 21 h 20

MAI
Les jours augmentent de 1 h 17

1 M	F. TRAV.
2 M	Boris
3 J	Jacq./Phil.
4 V	Sylvain
5 S	Judith
6 D	Prudence
7 L	Gisèle 19
8 M	VICT. 1945
9 M	Pacôme
10 J	Solange
11 V	Estelle
12 S	Achille
13 D	F. J. d'Arc
14 L	Matthias 20
15 M	Denise
16 M	Honoré
17 J	Pascal
18 V	Eric
19 S	Yves
20 D	Bernardin
21 L	Constantin 21
22 M	Emile
23 M	Didier
24 J	ASCENSION
25 V	Sophie
26 S	Bérenger
27 D	F. des Mères
28 L	Germain 22
29 M	Aymar
30 M	Ferdinand
31 J	Visitation

JUIN
Les jours augmentent de 14 mn

1 V	Justin
2 S	Blandine
3 D	PENTECOTE
4 L	Clotilde 23
5 M	Igor
6 M	Norbert QT
7 J	Gilbert
8 V	Médard
9 S	Diane
10 D	Trinité
11 L	Barnabé 24
12 M	Guy
13 M	Antoine P.
14 J	Elisée
15 V	Yvonne
16 S	J.-F. Régis
17 D	F. Dieu/Pères
18 L	Léonce 25
19 M	Romuald
20 M	Silvère
21 J	Rodolphe
22 V	Sacré-Cœur
23 S	Audrey
24 D	Jean-Bapt.
25 L	Prosper 26
26 M	Anthelme
27 M	Fernand
28 J	Irénée
29 V	Pierre/Paul
30 S	Martial

Été : le 21 juin à 15 h 33

LA POSTE

Photo Pictor International

38

3 | LES ÉTAPES

a) Lisez l'histoire de la formation de l'univers et reportez sur le graphique les différentes étapes de cette formation.

b) Relevez dans le texte les mots qui sont associés :

à l'idée de commencement

à l'idée de déroulement et de durée

à l'idée de fin

> L'évolution de l'univers
>
> D'après la théorie du «Big Bang», une grande explosion est à l'origine de la matière qui constitue notre univers. Ce Big Bang n'a duré qu'un centième de seconde. Ainsi l'univers est né, il y a quinze milliards d'années. Le système solaire s'est formé 10 milliards d'années plus tard. C'est d'abord le soleil qui s'est constitué. Puis, 500 millions d'années plus tard, la terre et les autres planètes sont apparues. C'est un milliard d'années plus tard que l'atmosphère terrestre se formera et il faudra encore attendre 500 millions d'années pour que les premiers êtres vivants commencent à se développer. Alors, débute la longue aventure de la vie qui aboutira à l'apparition de l'homme, il y a seulement 3 millions d'années. Une existence récente en somme et qui se terminera un jour, puisque le soleil va vers sa lente destruction et qu'il disparaîtra dans 5 milliards d'années.

4 | LE COMMENCEMENT, LE DÉROULEMENT ET LA FIN

a) Classez les verbes selon l'idée qu'ils expriment.

Idée de commencement	Idée de déroulement et de durée	Idée de fin
....	....	....
....	....	....

achever – s'arrêter   entreprendre – finir
attaquer – cesser   (se) maintenir – se mettre à…
commencer – continuer   (se) poursuivre – (se) prolonger
débuter – démarrer   (se) succéder – (se) terminer
se dérouler – durer   reprendre

1 cm = 1 milliard d'années

Aujourd'hui

b) Complétez avec l'un de ces verbes.

– La foire-exposition…… le 15 septembre et…… jusqu'au 2 octobre.

– La séance de cinéma…… à 21 h et…… à minuit.

– Quand l'orchestre…… les premières mesures de la «Marseillaise», les spectateurs se sont levés.

– Demain, il va…… un travail long et pénible qui… sur plusieurs mois.

– Des bombes sont tombées au nord de la capitale. D'après un témoin, les explosions ont…… à 11 heures du soir, se sont…… jusqu'à 1 h, ont …… vers 3 h et ont …… définitivement à 4 h.

51
Changement et transformation

1 LES VERBES DE CHANGEMENT

Lisez cet article.

Faites la liste des différents acteurs et notez brièvement
leur transformation en utilisant les verbes ci-dessous.

LES ACTEURS SE TRANSFORMENT

De plus en plus de comédiens veulent découvrir les conditions de vie des personnages qu'ils interpréteront dans un film. Les acteurs américains sont incontestablement les rois dans ce domaine. Pour son rôle dans *Voyage au bout de l'enfer* de Michael Cimino, Robert De Niro a fréquenté les ouvriers métallurgistes de Pennsylvanie et… leurs virées dans les bars ! Histoire de s'imprégner de la vie ouvrière et des sorties d'usine ! Dans *La Valse des pantins* de Martin Scorsese, ce même acteur incarne un comique ringard qui rêve de devenir célèbre. De Niro passera dans la plus nulle des émissions de télé existant aux États-Unis pour savoir ce que l'on ressent quand le public vous siffle ! Dustin Hoffman, pour *Le Récidiviste* d'Ulu Grosbart, a passé un après-midi dans une cour de prison pour… se sentir dans la peau d'un détenu ! Il fréquentera même un

groupe de paumés et de clochards pour ressembler à une loque humaine dans *Macadam cow-boy* !

Certains acteurs semblent prendre un réel plaisir à se transformer physiquement. La palme d'or de cette «spécialité» revient sans conteste à Robert De Niro. Eh oui ! encore lui. Comme quoi sa réputation d'acteur de composition est totalement justifiée ! Pour ressembler au boxeur Jake La Motta dans *Raging Bull* de Martin Scorsese, Bob dévore des montagnes de pizzas et de spaghettis et grossit de 30 kg. Méconnaissable ! Pour jouer Al Capone dans *Les Incorruptibles* de Brian de Palma, ce sera plus facile. Il n'avait qu'une quinzaine de kilos à prendre ! Prise de poids, catégorie femme maintenant. Coup de chapeau à Liz Taylor : trente kilos supplémentaires et des bouts de plastique sous ses beaux yeux violets pour son rôle dans

le film *Qui a peur de Virginia Woolf* ? Parfois la folie guette les acteurs à la fin de leur carrière. Johnny Weissmuller, Monsieur *Tarzan* par excellence, a fini dans un asile psychiatrique où il s'accrochait aux rideaux et semait la panique parmi les malades en poussant le cri de l'homme-singe ! Et que dire de Bela Lugosi, l'interprète inoubliable de *Dracula*. Il a fini sa vie dans un vieux manoir, entouré de chiens-loups et de chauves-souris. Il dormait dans un cercueil, s'habillait en vampire et se faisait transporter en cercueil par deux croque-morts ! Et Guy «Zorro» Williams ? L'acteur de télévision qui a immortalisé le célèbre justicier ne s'est jamais remis de son rôle. Mort en 89, il a présenté pendant 20 ans un spectacle intitulé *J'étais Zorro* ! Triste destinée !

Réponse à tout, revue mensuelle,
janvier 1991

– changer
(se) transformer
(se) modifier
(se) développer

– devenir + adjectif ou nom
augmenter/diminuer
prendre/perdre
passer de … à …

– *suffixe ir*
– *suffixe –iser, –ifier* (voir ex. suivant)
– *rendre + adj.* :
«Le maquillage le rend méconnaissable.»
– *faire de quelqu'un quelque chose* :
«La vie qu'il mène depuis 10 ans a fait de lui un clochard.»

2 | LES SUFFIXE *-ISER* ET *-IFIER*

Rendre réel → *réaliser*   Avoir un sens → *signifier*

Complétez avec le verbe qui convient.

– Votre explication est trop complexe. Il faut la ……

– Placé dans le congélateur ce liquide va se ……

– Vous avez de très bonnes idées. Mais tout cela reste abstrait. Il faut …… votre projet.

– Parce qu'elle n'a pas été invitée chez Martine, elle a fait tout un drame. Je ne comprends pas pourquoi elle …… tout.

– Il veut avoir le monopole de toutes les sociétés. Il veut tout ……

3 | LES CHANGEMENTS POLITIQUES ET SOCIAUX

Voici quelques-unes des critiques qui sont faites à la société française.

Imaginez le discours d'un homme politique qui pense pouvoir transformer la société.

• *Éducation et recherche*
  – Système scolaire mal adapté à la vie moderne.
  – Formation professionnelle insuffisante.
  – Bâtiments scolaires vétustes.
  – Programmes scolaires trop lourds.
  – Orthographe française trop complexe.

• *Villes*
  – Quartiers vétustes.
  – Banlieues déshéritées mal aménagées.
  – Pas de contact entre les gens.
  – Solidarité insuffisante.
  – Sécurité insuffisante.

• *Économie*
  – Économie trop traditionnelle, pas assez moderne.
  – Impôts trop lourds.

• *Administration et régions*
  – Administration mal organisée, trop centralisée.
  – Personnels trop nombreux.
  – Régions pas assez autonomes.

Il faut adapter… transformer…

CORRIGÉS

1
Le corps humain

1. «À 3 ans, il ne dessine que la tête avec un œil et les jambes. À 4 ans, il représente la tête avec les yeux, le nez et la bouche. Il ajoute les pieds. À 5-6 ans, il fait le tronc. À 7 ans, il met les oreilles à la tête, les bras avec les mains. À 8-9 ans, il fait les cheveux sur la tête. À 10 ans, il dessine les sourcils et les doigts de la main. À 11-13 ans, il ajoute les habits.»

2. – *la tête* : le cil, le cou, la fossette, le front, la lèvre, la mâchoire, le menton, l'œil (les yeux), le sourcil, la tempe
   – *le tronc* : le dos, l'épaule, la hanche, la poitrine, le sein, la taille (entre le tronc et les jambes), le ventre.
   – *le bras* : le coude, le poignet (entre le bras et la main).
   – *la main* : le doigt, l'index, l'ongle, la paume, le pouce.
   – *la jambe* : la cuisse, le genou, le mollet.
   – *le pied* : la cheville (entre le pied et la jambe), l'orteil, le talon.

3. Ugolin : 24 ans, pas grand, larges épaules, tignasse (rousse), un sourcil en deux ondulations, un nez légèrement tordu et assez fort, une moustache qui cachait sa lèvre.

Lisbeth : âgée, loin d'être belle, maigre, brune, cheveux d'un noir luisant, sourcils épais, face longue et simiesque.

4. – la tête du lit (partie où se trouve la tête du dormeur)
   – la tête d'une épingle (partie supérieure)
   – la tête de pont (partie avancée d'une armée en territoire ennemi)
   – la tête de lecture (élément qui lit les informations enregistrées)
   – le front de mer (l'avenue au bord de la mer)
   – le front de la bataille (le lieu où deux armées se rencontrent)
   – les dents du peigne
   – les dents de la scie
   – les dents de la montagne (les pics)
   – la bouche du fleuve (l'embouchure)
   – la bouche d'égoût (l'ouverture)
   – la bouche de métro (l'entrée)
   – la bouche d'incendie (l'arrivée d'eau utilisée par les pompiers)
   – les bras du fauteuil (les accoudoirs)
   – le bras du fleuve (la partie d'un fleuve qui se divise)
   – le bras de mer (le détroit)
   – le(s) pied(s) de table, de fauteuil, de lit
   – le pied de lampe (le support)
   – le pied de la montagne (la partie basse)

2
L'activité physique

1. a)
a. Levez la jambe droite. Pliez le genou droit. Renversez le corps en arrière. Écartez les bras. Étirez-les en arrière.
b. Posez les mains à terre. Relevez les jambes en l'air. Repliez les jambes derrière la tête. Posez les pieds sur la tête.
c. Asseyez-vous. Croisez les jambes. Passez le bras droit derrière la tête et repliez-le vers le bas. Collez le bras gauche au corps et touchez l'oreille droite.
d. Asseyez-vous. Posez la main gauche au sol. Allongez la jambe droite. Passez la jambe gauche derrière la tête. Tenez-la de la main gauche.
e. Vous êtes debout. Renversez le corps en arrière. Étirez les bras en arrière.
f. Vous êtes assis. Penchez le corps en avant. Courbez votre dos. Passez vos bras sous vos jambes et tenez-les. Mettez-vous en boule.

b) – *skieur* : plier les jambes, coller les bras au corps, se pencher en avant.
   – *joueur de tennis* : fléchir les jambes, garder le buste droit, écarter et allonger le bras.
   – *joueur de golf* : écarter les jambes, lever les bras, pencher le buste vers l'arrière.
   – *plongeur* : se tenir droit, sauter, garder les jambes et les bras tendus.
   – *boxeur* : fléchir les jambes, se déplacer, ne pas rester immobile, rester à distance de l'adversaire, se protéger avec ses poings, allonger le bras pour se défendre et préparer l'attaque.

2. – Ils reculent devant un char.
   – Ils accélèrent leur marche pour trouver un abri.
   – Ils glissent sur de l'herbe mouillée.
   – Ils grimpent à une échelle.
   – Ils pataugent dans un marais.
   – Ils errent, perdus, dans la forêt.
   – Ils trébuchent sur une pierre.
   – Ils sautent un petit mur.
   – Ils tombent dans un trou.
   – Ils rampent sous le fil de fer barbelé.

3.

Mouvements et déplacements	Positions et attitudes
A. fait quelques pas dans la chambre, – s'approche de la commode – ouvre le tiroir – remue les papiers – se penche – tire le casier – se redresse – se tourne vers la lumière.	A. regarde le bois – demeure immobile, les coudes au corps, les deux avant-bras repliés et cachés par le buste. – tient une feuille de papier. – continue sa lecture. – son profil incliné ne bouge plus.

– Nicole se promène, flâne, contemple les vitrines.	Nicole reste immobile, pleure, essuie ses larmes.
– Julien grimpe les escaliers quatre à quatre, s'arrête essoufflé, frappe, ouvre sans attendre.	Julien trépigne d'impatience, saute de joie.
– Hervé essaie de s'approcher, s'approche timidement, hésite.	Hervé la cherche des yeux, la suit des yeux, la fixe et essaye d'attirer son attention.

3
Les sens

1. – le chevalier de Lusignan *aperçoit*…
   – celle-ci le *fixe*…
   – il pourra tous les jours *contempler*…
   – il n'aura pas le droit de la *voir* nue.
   – Lusignan *remarque* bientôt…
   – il décide de la *surveiller*.
   – (Lusignan) l'*observe* de loin.
   – Il n'arrive pas à *distinguer*…
   – elle *voit* le regard de son mari *posé* sur elle…
   – Lusignan ne la *reverra* plus.
   – la jeune femme reviendra… pour *veiller* sur ses enfants.

2. – 130 dB → e   → insupportable
  – 120 dB → i
  – 110 dB → b } → tonitruant
  – 100 dB → f   → très bruyant
  – 80 dB → a   → assourdissant
  – 60 dB → g   → perçant
  – 40 dB → c   → étouffé
  – 20 dB → d   → imperceptible
  – 10 dB → h   → faible

3.

	L'Étranger	Madame Bovary
Visions	– étoiles (calme, beauté, sensation d'infini) – comme une marée (impression d'étendue)	– les ombres du soir – le soleil… lui éblouissait les yeux – des tâches lumineuses tremblaient – comme si des colibris … eussent éparpillé leurs plumes (trouble physique, sensibilité, émotion)
Sons et bruits	– bruits de campagne (calme) – les sirènes ont hurlé (violence, paix rompue)	– le silence était partout – elle entendit… un cri vague et prolongé, une voix qui se traînait – elle l'écoutait silencieusement – se mêlant comme une musique aux dernières vibrations de ses nerfs émus
Odeurs	– odeurs de nuit, de terre, de sel, rafraîchissaient (fraîcheur)	
Autres	– la merveilleuse paix entrait en moi	– quelque chose de doux semblait sortir des arbres (apaisement) – elle sentait son cœur, – les battements – le sang circuler dans sa chair comme un fleuve de lait (vie naissante)

4. – *mer* : souffle du vent sur la peau, goût du sel, bouffées d'air pur, bruit des vagues.
  – *cave* : odeur de moisi, silence, impression de fraîcheur, d'humidité, obscurité inquiétante.
  – *forêt tropicale* : chaleur étouffante, lourdeur de l'atmosphère humide, cris d'oiseaux et d'animaux, bourdonnement d'insectes.
  – *soir à l'opéra* : sons discordants de l'orchestre qui s'accorde, brouhaha du public, parfums, couleurs vives et lumières, tonnerre d'applaudissements.

4
Les états physiques

1. a) – avoir faim → avoir une légère douleur à l'estomac, un léger vertige
– avoir soif → avoir la gorge sèche

– être épuisé → avoir envie de s'allonger, avoir des courbatures
– être nerveux, excité → remuer, bouger constamment
– être en colère → rougir, s'étouffer, accélération du cœur
– avoir chaud → transpirer
– avoir froid → trembler, frissonner
– avoir peur → pâlir, être paralysé, trembler, s'évanouir.

b) – *la soif* : haleter en ouvrant la bouche, tirer la langue, mimer le geste du buveur.
– *l'épuisement* : avancer en se traînant, laisser tomber les épaules, incliner la tête, soupirer, garder les yeux entrouverts, s'écrouler.
– *la nervosité* : trépigner, agiter un objet tenu à la main, avoir un tic de visage (clignement d'œil).
– *la colère* : pousser des cris, frapper du poing sur la table, donner un coup de pied à la porte, faire des grands gestes en levant les bras au ciel, marcher de long en large.
– *la chaleur* : soupirer lourdement, passer sa main sur son front, s'essuyer le front, plisser les yeux, se déshabiller.
– *le froid* : s'habiller, claquer des dents, se frotter les mains, les réchauffer en soufflant, grelotter, trembler, coller ses coudes au corps, faire du feu, réchauffer ses mains à la chaleur.
– *la peur* : ouvrir sa bouche et pousser un cri, avoir le visage crispé, ouvrir ses mains et crisper ses doigts, se recroqueviller sur soi-même, se mettre en boule, se protéger avec sa main, se mettre dans un coin, regarder d'un air craintif.

2. – *fatigue* : vivre sous pression, stressé, s'épuiser, chercher le sommeil, avoir les nerfs à fleur de peau, collectionner les traitements.
forme physique : se lever du pied gauche (= ne pas être en forme), sentir son corps se détendre, son esprit s'apaiser ; retrouver le sommeil vrai, profond, paisible ; calme, sereine ; être soi-même en paix avec la nature.

3.

Répétition	Retour au point de départ	Autre sens
– je ne l'ai pas revu – il est revenu – il a refait – recommencer	– rentrer – nous reviendrons	– reconnaître – recherche – retrouver
repartir, redire, relire, rejouer, se recoucher, ressortir	rapporter	

5
La nourriture

1. Boire et manger

Type de mangeur	Manière de manger	Type de nourriture	Philosophie de l'alimentation
b.	– il savoure – il déguste	– plats recherchés et savamment cuisinés	– manger est un art
c.	– mange de bon appétit	– mange tout, aime surtout les desserts	– manger est un plaisir
d.	– mange lentement, du bout des dents	– il est exigeant et méfiant	– insensible aux plaisirs de la table
e.	– avale rapidement	– un sandwich ou un plat quelconque	– manger est sans importance
f.	– mâche lentement – surveille sa nourriture	– plats équilibrés, produits sélection-nés	– manger est une activité scientifique
g.	– mange modérément	– légumes, laitages et fruits	– philosophie orientale

2. a)

agneau BC
artichauts LEG
bananes FR
beurre LAIT
bœuf BC
canard BC
carottes LEG
cerises FR
champignons LEG
choux LEG
dinde BC
épinards LEG
fromage LAIT
gâteaux PAT

haricots verts LEG
haricots secs LEG
jambon CH
lait LAIT
lentilles LEG
morue PS
navets LEG
œufs LAIT
oranges FR
pain BL
pâté CH
pêches FR
petits pois LEG
poires FR

pommes FR
pommes de terre LEG
poulet BC
porc BC
radis LEG
salade verte LEG
saucisson CH
saucisse CH
tarte PAT
thon PS
veau BC
yaourt LAIT

4. – appétissant ≠ repoussant
– bon ≠ imbuvable
– mûr ≠ vert
– cru ≠ cuit
– bien cuit ≠ saignant

– frais ≠ rassis
– savoureux ≠ insipide, fade
– grasse ≠ maigre
– copieux ≠ frugal
– délicieux ≠ immangeable

6
L'hygiène

1.

Pour nettoyer	il faut...	avec...
– les dents	brosser	une brosse à dent, du dentifrice
– la peau	savonner, laver	un gant de toilette, du savon

– les cheveux	laver	un shampooing
– une chemise tachée	laver	une machine à laver, de la poudre à laver
– un meuble couvert de poussière	dépoussiérer	chiffon
– une vieille armoire en bois	cirer, faire briller astiquer	des brosses, un chiffon
– le sol	nettoyer, balayer, frotter	un balai, un aspirateur,
– une casserole très sale	récurer	avec un produit à récurer, une éponge
– un objet en argent	faire briller	un chiffon

2. – une *sale* histoire = mauvaise
– un type *propre* = honnête
– ses *propres* mots = ses mots exacts
– une *sale* tête = antipathique
– *propres* à inquiéter = susceptibles de...
– mes *propres* oreilles = à moi

3.

Personnages	Toilette	Maquillage
Cléopâtre	– longues heures à sa toilette – se fait frotter avec des huiles parfumées	– appliquait un fard blanc – mettait du rose sur les pommettes – yeux très maquillés
Poppée	– bains dans du lait d'ânesse	– craies blanches et rouges delayées dans de la salive d'esclaves
Henri III	– se fait friser et poudrer les cheveux	– fard pour blanchir la peau et se rougir les joues
Elzebeth	– bains dans du sang de jeune fille	
Henri IV	– se lave rarement, pue des pieds, empeste l'ail	
Louis XIV	– se dégraisse le visage avec de l'alcool, se parfume beaucoup	– se farde – porte une perruque

4. Type défaire → faire : démonter, décoller, déshabiller, déboucher, détacher, dégonfler, déchausser, déplacer, délacer, désarmer

Type dérouler → enrouler : déballer → emballer, décourager → encourager

Type dépasser → passer : deménager : changer de logement
ménager : préparer, épargner
délaver : éclaircir une couleur
laver : nettoyer
déposer : laisser quelque chose quelque part
poser : placer

7
La maladie et la santé

1. g – d – i – b – a – e – c – j – h – f

2.

Maladies	Symptômes	Soins
une grippe	malaise général, fièvre, douleurs musculaires	repos, vitamine C
une angine	mal de gorge, fièvre	antibiotiques
une bronchite	toux, fièvre	antibiotiques
un rhume	mal de tête, toux, éternuements	aspirine
une intoxication alimentaire	vomissements, malaise, maux de tête, diarrhée	diète, hospitalisation (quand c'est grave)
une crise d'appendicite	douleur dans le ventre diarrhée, fièvre	opération
une crise cardiaque	vives douleurs dans la poitrine	hospitalisation, opération éventuelle
un rhumatisme	douleurs articulaires	anti-inflammatoire

3.

Accident	Causes	Conséquences
12.05.91	entré en collision avec un autorail	souffre d'une fracture de la jambe
23.05.91	intoxiquées par le contenu de deux bonbonnes d'acide chlorhydrique	4 morts 339 intoxiqués
24.05.91	victime d'un léger malaise cardiaque	a subi une intervention chirurgicale pour lui placer un pacemaker, va aussi bien que possible
25.05.91	parachute ayant refusé de s'ouvrir entièrement	fracture de la colonne vertébrale, perte de mémoire
05.06.91	frigorifiée par le poulet congelé qu'elle avait caché dans son soutien-gorge	s'est évanouie
05.06.91	le cheval a eu une crise cardiaque et s'est effondré sur son cavalier	mort écrasé par son cheval
10.06.91	emporté par une lame déferlante sur une plage	mort

4. 1. *Mauvaise santé* du franc = baisse
Journée de *fièvre* = de grande activité.
2. *Malaise* dans l'Éducation Nationale = découragement et mécontentement.
3. *Fracture* dans l'opposition gouvernementale = division.
4. *La pilule est dure à avaler* = les gens acceptent mal le nouvel impôt.
5. Une *indigestion* de Beethoven = en avoir écouté jusqu'à être dégoûtée, je suis *vaccinée* = je suis prévenue par cette mauvaise expérience.

8
Les âges de la vie

1. – la naissance : e
– le bébé : c, h, k, r
– la petite enfance : f, s, v
– l'enfance : a, l
– l'adolescence : g, p, u
– la jeunesse : b, d, q, m
– la trentaine : o, w
– la quarantaine : j
– le troisième âge : i
– la vieillesse : t

2.

	Naissance	Développement	Vieillesse	Mort
l'homme	naître	se développer, pousser, grandir, progresser, s'épanouir	vieillir, faiblir	mourir
la plante		pousser, croître	s'étioler	mourir
la fleur	éclore	s'épanouir	se fâner	se dessécher
le feu	éclater	s'étendre, progresser	faiblir	s'éteindre
la civilisation	naître, éclore	se développer, s'épanouir	décliner	disparaître

3.

	Mort	Sépulture	Rituel
Égyptiens	la mort le défunt la survie	un cercueil, le sarcophage, un tombeau, le cimetière, la tombe	
Hindouistes	morts	le bûcher, les cendres, la rivière	incinérer, la cérémonie des funérailles, la famille en deuil
Parsis	décéder	la sépulture la tour	l'enterrement, l'incinération, dévorés par les vautours
Inuits	la mort approcher, ses derniers moments	immensité glacée	seul, loin du village

9
Le caractère

1.

	Visage	Yeux	Bouche	Nez
A	carré	petits	charnue	court et charnu
A	simple, concret, sens du commerce et des affaires	peu ouvert aux nouveautés, intransigeant, têtu	gourmand, sensuel	impulsif, capricieux, direct, jovial
B	triangulaire	grands	lèvres avancées	long et charnu
B	dynamique, sociable, aime l'action	curieux, tolérant, influençable	aventurier, impulsif	volontaire, séducteur, aime les plaisirs de la vie
C	ovale	grands	grandes lèvres	court et fin
C	dominatrice, ambitieuse, sens de l'organisation	curieuse, tolérante, influençable	expansive, généreuse	naïve, préfère l'intimité aux grands groupes

2. *La narratrice* : jeune fille dont le caractère semble encore fluctuant. Elle semble hésiter entre deux images : celle du père et celle d'Anne Larsen pour qui elle a une admiration passionnée et qui a été sa première formatrice.

Le père : être futile et léger. Ce qui compte pour lui, ce sont les plaisirs et les amusements de la vie. Ses critères de choix sont la beauté et la drôlerie. Il s'est débarrassé de l'éducation de sa fille en la confiant à un pensionnat, puis à Anne Larsen.

Anne Larsen : femme de goût, séduisante et recherchée. Elle est à la fois aimable et orgueilleuse. Elle sait faire preuve d'une grande volonté. Elle affiche quelquefois de la lassitude et de l'indifférence. Son caractère et sa vie sont les signes d'un être fin, intelligent, indépendant, discret, qui méprise les futilités.

3. a) – naïf → la naïveté
– oisif → l'oisiveté
– timide → la timidité
– habile → l'habileté
– bon → la bonté
– gai → la gaieté
– infidèle → l'infidélité

– l'activité ← actif (active)
– la curiosité ← curieux (curieuse)
– l'originalité ← original (originale)
– la fidélité ← fidèle
– la causticité ← caustique
– la fierté ← fier (fière)

b) – paresseux → la paresse
– astucieux → l'astuce
– peureux → la peur
– audacieux → l'audace

– la vanité ← vain
– la joie ← joyeux
– le malheur ← malheureux
– l'amour ← amoureux

10
Les sentiments

1.

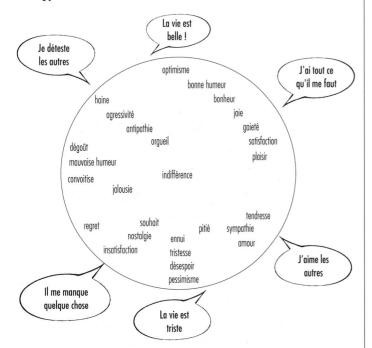

2. – Florence et Adrien : Un coup de foudre. Ils sont tombés amoureux l'un de l'autre. La passion. Ils se marient. Mais ils ont des caractères très opposés. Ils se disputent souvent. Les scènes de ménage sont fréquentes. Ils se détestent et ne se supportent plus. L'amour a fait place au dégoût et à la haine. Ils se séparent, deviennent indifférents l'un à l'autre et divorcent.
– Michèle et François : François est attiré par Michèle qui le fascine.

Mais il n'ose pas lui parler. Il a été séduit par sa beauté et son charme. François devient un ami que Michèle aime bien. Après un grand chagrin d'amour, elle l'épouse. Le couple s'entend bien. Mais un jour, Michèle trompe François, qui est très jaloux. Il ne le supporte pas et la tue.

– Agnès et Daniel : Ils éprouvent de la sympathie et de l'affection l'un pour l'autre. C'est un flirt sans conséquence. Ils s'apprécient beaucoup. Mais ne sont pas amoureux l'un de l'autre. Ils vont finir par se marier et, comme ils s'estiment beaucoup, ils s'entendront toute leur vie.

3. – gaieté : d2
– peur : h1
– indifférence : g6
– dégoût : e5

– tristesse : a3
– honte : b8
– satisfaction : c4
– nervosité : f7

11
La maison

1. 1d – 2g – 3c – 4i – 5h – 6b – 7e – 8f – 9j – 10a

2. – Logement des personnages

	R. Chamfort	A. Montreux	H. Bourguignon
Aspect général	grande maison ancienne de caractère située dans un parc, vaste et spacieuse	chambre de bonne sous les toits	trois pièces cuisine, salle de bain dans un quartier chic à Paris
Les pièces	grandes pièces avec portes-fenêtres	une pièce unique, un coin cuisine et un lavabo, toilette collective	grandes pièces
La lumière	pièces claires ensoleillées	lieu obscur sans soleil	lieu bien éclairé, des rideaux et des tentures
Les meubles	meubles de style et confortables, des plantes vertes	strict nécessaire : table, chaise, réfrigérateur, une vieille télévision en noir et blanc, un lit	meubles modernes
La décoration	sobre et de bon goût	murs couverts d'une tapisserie sale	de nombreux objets d'art, des bibelots rapportés d'Afrique
Autres	calme et silence des lieux, cadre agréable	un immeuble bruyant	grand désordre des lieux

3. *Isba russe.* Construction en bois. Le double toit en pente est couvert de tôle ondulée. Nombreuses fenêtres à volets surmontées de motifs décoratifs. La façade comporte un balcon en bois très élégant. Typique d'une région où les hivers sont rudes et où le bois se trouve en abondance.
Huttes thaïlandaises sur pilotis. Constructions très sommaires en planches surmontées d'un toit de paille. Certaines huttes n'ont ni

portes ni fenêtres. Des pilotis supportent les maisons qui sont ainsi protégées des inondations. Les habitants sont probablement des pêcheurs relativement pauvres.

Villa mexicaine. Construction en carré autour d'un patio avec fontaine fleurie. Les appartements donnent sur des galeries à portiques tout autour du patio formant ainsi une zone d'ombre. Les toits sont couverts de tuiles. Adapté au climat sec et chaud.

4. d – k – g – b – j – c – l – f – e – m – a – h – i

12
Les objets quotidiens

2. a)

nom + nom	verbe + nom	adjectif + nom ou nom + adjectif	verbe + adverbe
sac poubelle canapé-lit radio-réveil	tire-bouchon monte-plats vide-ordures grille-pain abat-jour porte-manteau lave-linge coupe-circuit	haut-parleur chaise longue coffre-fort	passe-partout

b) – un ouvre-boîtes
   – un lave-vaisselle
   – un porte-clés
   – un couvre-lit
   – un porte-serviettes

13
La ville

1.

	Qualités	Défauts
Arcachon	– Ville sympathique et aérée. – Population bourgeoise. – Nombreux atouts : le site, le climat serein, une atmosphère animée, ville d'été insouciante et moderne, belles excursions. – Station balnéaire et climatique.	Population fermée côté chicos (snob)
Mont-de-Marsan	– Centre administratif et commercial. – Capitale du pays landais. – La fête de la Madeleine (1 semaine en juillet).	– N'a guère de charme. – Tristesse.
Périgueux	– Ancienne capitale du Périgord, chef-lieu de la Dordogne. – Monuments, vues médiévales. – Visage aimable et serein. – Ville commerçante et provinciale. Peu d'industries. – Promenades agréables.	– Peu d'industries.

3. a) – *Les artères* : une avenue, un boulevard, une rue, une ruelle, une impasse.
– *Les espaces verts* : un bois, un parc, un jardin public, un square, un jardinet.
– *Les agglomérations* : une agglomération, une ville, un bourg, une cité, un hameau.
– *L'habitat* : une cité, un lotissement, un immeuble, un appartement, un studio.
b) – la banque : i – la bibliothèque : k – le commissariat : f – la crèche : c – l'église : a – la mairie : d – le parc : g – la poste : e – la préfecture : h – le supermarché : j – le syndicat d'initiative : b
c)

Préparer un voyage à l'étranger	Préparer son mariage
– Aller retirer de l'argent à la banque. – Obtenir un passeport ou une carte d'identité à la préfecture. – Obtenir un visa à l'ambassade du pays concerné. – Emprunter des livres à la bibliothèque. – Acheter un guide et des cartes routières à la librairie. – Écrire à un office du tourisme à l'étranger.	– Faire publier le mariage à la mairie et accomplir les formalités. – Faire annoncer le mariage à l'église. – Effectuer des examens médicaux. – Aller voir le notaire pour établir un contrat de mariage. – Déposer une liste de mariage (liste de cadeaux) dans les magasins. – Poster les invitations et les faire-part de mariage.

14
Le ciel

1.

1	L	U	N	E						
2	S	O	L	E	I	L				
3 E	C	L	I	P	S	E				
4	E	T	O	I	L	E	S			
5	A	R	C	■	E	N	■	C	I	E	L
6	P	L	A	N	E	T	E	S		
7	Z	O	D	I	A	Q	U	E		
8 E	C	L	A	I	R					
9	M	E	T	E	O	R	I	T	E	
10 N	U	A	G	E						
11 S	A	T	E	L	L	I	T	E		

2. Le *vaisseau spatial* a *décollé* à 7h25. Pendant quelques secondes nous avons traversé les *couches nuageuses*, puis nous avons *survolé* la terre. Les *satellites artificiels*, la *lune* et les *planètes* du *système* solaire ont peu à peu disparu. Par le *hublot*, je regardais *défiler* les *météorites*, les *étoiles* et la *voie lactée*. Un *engin interplanétaire* nous a *croisés* à une vitesse infernale. Nous avons traversé une autre *galaxie*. Puis le *vaisseau* a ralenti, il a *volé* autour d'une *planète* jaune et verte et nous avons *atterri* sur OXA. Quelques *astronautes* sont descendus. Une seule personne est remontée portant un lourd *équipement*. Au signal, la *mise à feu* a été *déclenchée* et la *fusée* est repartie pour une autre destination.

3. A. – *aérer* : faire entrer l'air frais dans une pièce

– *manquer d'air* : ne pas avoir assez d'air

– *respirer* : faire entrer et sortir l'air de ses poumons

– *inspirer* : faire entrer l'air dans ses poumons

– *gonfler* : augmenter un volume en le remplissant d'air

– *étouffer* : ne pas avoir assez d'air

– *expirer* : faire sortir l'air de ses poumons

– *souffler* : chasser de l'air par la bouche

B. – *respirer la santé* : être en bonne santé

– *je n'ai pas eu le temps de souffler* : je n'ai pas eu le temps de me reposer

– *gonfler les chiffres* : grossir les chiffres

– *il ne manque pas d'air* : il exagère

– *il est gonflé* : il exagère

– *étouffer (un scandale)* : cacher, dissimuler un scandale

– *être inspiré* : avoir une bonne idée

– *aérer sa présentation* : la rendre moins dense, espacer les lignes

– *les délais expirent* : finissent, prennent fin.

4. – l'aigle → Napoléon, Jupiter, la supériorité, la menace

– l'autruche → l'Australie, un solide estomac, la course rapide, le refus de regarder la réalité en face (l'autruche cache sa tête dans le sable)

– la cigogne → la naissance des bébés, l'Alsace

– la colombe → la paix

– le corbeau → la mort, la délation, la couleur noire

– le cygne → la grâce, le romantisme

– l'hirondelle → le printemps

– le perroquet → la répétition absurde, l'exotisme

– la pie → le bavardage

15
La terre

2. 1. une plaine – 2. des collines – 3. une vallée – 4. un col – 5. un plateau – 6. un précipice – 7. une gorge – 8. une grotte – 9. un glacier – 10. un sommet – 11. les pics

3. a V – b F (elle est à 2 277 m. d'altitude) – c V – d F (ils la situent à l'emplacement de l'île de Santorin en Grèce) – e V – f V – g V – h V

4.

Type de terrain	Minéral correspondant	Aspects du paysage – Exemples
pierreux	la pierre	sol couvert de pierres. Le reg saharien est un désert pierreux
sablonneux	le sable	sol couvert de sable. En été, la Loire laisse voir de longues étendues sablonneuses
boueux	la boue	terre détrempée d'eau. Pendant la saison des pluies, en Afrique, les chemins sont boueux.
poussiéreux	la poussière de terre	terre desséchée emportée par le vent. Dans le delta du Nil, le sol fin et léger devient poussiéreux, l'été.

Type de terrain	Minéral correspondant	Aspects du paysage – Exemples
argileux	l'argile	terre avide d'eau et imperméable. Le potier utilise de l'argile pour faire ses pots.
caillouteux	le caillou	sol recouvert de fragments de pierres ou de roches. Le fond des rivières est parfois caillouteux.
granitique	le granit	le paysage est constitué de gros blocs. La croûte terrestre continentale est constituée de roches granitiques.

16
L'eau

1.

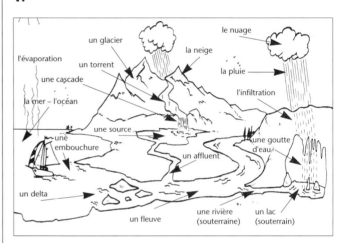

2. a) *La source* : au printemps, elle *s'écoule* fraîche et pure. Avec le chaud soleil, l'eau *s'évapore* et la source n'est plus alimentée. Elle *se tarit* lentement. Après la pluie, un mince filet d'eau *coule* encore. Bientôt, la source *est à sec*. Les animaux ne viennent plus y boire. Il faudra attendre les pluies d'automne pour que l'eau *rejaillisse*. Puis avec l'hiver, elle *gèlera*. La glace *fondra* au premier soleil et l'eau retrouvera sa course impatiente vers la vallée.

b) *Le nageur* : il *se mouille* avec prudence après *avoir trempé* ses pieds. Il *plonge* comme un grand sportif. Il *nage, immergé*. Il *émerge* enfin, respire un grand coup. Maintenant, il *flotte* sur le dos. Le voilà qui disparaît sous l'eau. Sa nage devient étrange et désordonnée. Un bras se lève, puis deux. Le nageur s'enfonce et remonte. Il a failli se noyer «en buvant la tasse» (en respirant de l'eau). Heureusement l'eau n'est pas très profonde. Il sort de l'eau *ruisselant* et stupide.

3.

eau	côtes	vacances
– cette plage – plonger dans une eau cristalline, chaude, limpide – le bleu intense de l'océan – un miroir – la mer – une immense piscine chauffée – les îles	la corniche les côtes les îles les rivages un chapelet de plages	plage paradisiaque le soleil berce vos rêves la piscine la sortie de bain le sable chaud le parasol le matelas pneumatique un lieu exotique un agent de voyage

4.

Végétaux	Poissons d'eau douce	Poissons de mer	Crustacés et coquillages	Autres animaux
une algue un nénuphar	une anguille[1] une carpe un saumon une truite	un maquereau une morue un requin une sardine un saumon un thon	une crevette une écrevisse une huître une langouste une moule	une baleine un castor un dauphin un pingouin

[1] Les anguilles vivent dans les cours d'eau mais vont pondre dans la mer des Sargasses.

17
Le feu et la lumière

1.

Chronique de l'année 1990 :

Le feu et son développement	Lutte contre l'incendie et moyens de lutte	Conséquences de l'incendie
– le Var en proie à un gigantesque incendie – le brasier – les flammes ont atteint vingt mètres de haut – la fumée était visible à plusieurs kilomètres – l'incendie a été attisé par des vents violents et irréguliers	– quatre jours de lutte – quatre nuits de veille – les pompiers, militaires pilotes de Canadair – se rendre maître de l'incendie – les moyens pour le circonscrire étaient loin d'être suffisants surtout en ce qui concerne les bombardiers d'eau	– maquis et pinèdes détruits – un soldat du feu a péri quatre ont été blessés un très grièvement

Le Figaro Magazine :

Le feu et son développement	Lutte contre l'incendie et moyens de lutte	Conséquences de l'incendie
– 14 millions de vieux pneus enveloppent d'une fumée épaisse la région de Hagersville – une pluie de minuscules boules brûlantes – le gigantesque brasier	– aucune solution n'a été trouvée pour endiguer l'incendie – des digues ont été dressées – l'incendie résiste aux bombardements d'eau – ne sera pas maîtrisé avant plusieurs mois	– risque de contamination de la nappe phréatique par l'huile provenant du caoutchouc fondu – pollution de l'air – plusieurs centaines d'habitants ont été évacués

2. – un feu de cheminée → romantique, bucolique
– une lampe de chevet → intime
– une lampe halogène → moderne
– une lampe de poche → pratique
– une bougie → historique
– un cierge → mystique
– le soleil → naturel
– un phare (mer) → pour amoureux de la solitude
– un phare (voiture) → obligatoire
– une lanterne → passéiste
– une ampoule → rudimentaire
– un ver luisant → bucolique

3. a. éclaire   e. s'assombrit
    b. allume   f. s'éclaire
    c. s'obscurcit – s'allument   g. m'aveuglent
    d. scintillent   h. étincellent

4. a) *Synonymes*
– un élève qui est doué   – une pièce mal éclairée
– des yeux étincelants   – une nuit sans étoiles
– une affaire qui marche mal   – une explication incompréhensible
– une société élégante   – un personnage ignoré de tous
– un appartement ensoleillé   – une rue mal éclairée
– une couleur qui n'est pas foncée   – un visage triste
– une eau transparente   – une histoire lamentable
– une explication évidente   – un présage menaçant
b) *Sens des mots*
– un *foyer* = une famille
– en *brûler* d'envie = désirer une chose fortement
– un conférencier *brillant* = remarquable, doué
– une conclusion *fumeuse* = pas claire
– un *phare* = un guide, un modèle
– *il n'y a pas de fumée sans feu* = il y a toujours une cause à l'origine d'une rumeur.

18
Climats et saisons

1. 2 – 5 – 7 – 8 – 1 – 4 – 3 – 6

2. a) glacial – froid – frais – doux – chaud – brûlant – torride
b) brise – vent léger – vent – bourrasque (vent bref et violent) – tempête – ouragan.
c) ensoleillé – dégagé – partiellement couvert – brumeux – couvert – nuageux – bas – noir
d) pluie fine – ondée – averse – grosse pluie – orage – déluge

3.

Équatorial	Désertique	Polaire continental
Le ciel est souvent couvert et les pluies sont abondantes toute l'année. Les températures sont élevées et régulières. Il fait chaud et humide. Aussi la végétation est-elle luxuriante (cocotiers, bananiers, etc.).	Les pluies sont très rares. L'été, la chaleur est torride. Les hivers sont froids. Mais même l'été les écarts de température entre le jour et la nuit sont très importants. Le sol est aride. Les dunes de sable succèdent aux pierres et aux rochers. La végétation est très rare. On trouve parfois des oasis avec quelques palmiers.	Le climat polaire continental est très hostile à la vie. Toute l'année les températures sont rigoureuses (inférieures à 0). Le vent glacial apporte souvent des tempêtes de neige. Le paysage est tout de neige et de glace.

4. pluvieux – caillouteux – miséreux – fiévreux – migraineuse – chanceuse – nuageux – pâteux – crémeux.

19
Les animaux

1. aV – bF – cV – dV – eV – fV – gF – hV – iV – jV

2. – des yeux de biche – des yeux de lynx – une faim de loup – un appétit d'oiseau – la part du lion – une fièvre de cheval – une vie de chien – des larmes de crocodile.

20
Les végétaux

1. – brindille, rameau, branche, buisson, arbre, bosquet, domaine, bois, forêt.
– racine, tronc, branche, tige, nervure, feuille
– e – b – g – a – j – c – l – k – f – i – d – h.

2.

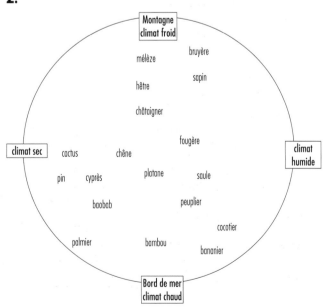

3.

21
Les vêtements

1.

	Tête et cou	Haut du corps (jusqu'à la taille)		Bas du corps	Pieds
Plutôt pour lui		cravate	costume		
Pour les deux	chapeau foulard	ceinture chemise pull-over veste	manteau pantalon	slip	chaussettes chaussures
Pour elle		chemisier soutien-gorge	robe	jupe bas	

2. – *plage* : chapeau de paille, maillot de bain, sandales, short, tee-shirt
– *sport* : bonnet (de bain), short, survêtement, tee-shirt, tennis
– *sport d'hiver* : anorak, bonnet, combinaison de ski
– *nuit* (chambre) : chemise de nuit, chaussons, pantoufles, pyjama
– *cérémonie* : robe de soirée, smoking
– *pluie* : bottes, imperméable

3. – *Le BCBG* : Il est bien coiffé, a des cheveux mi-longs ou courts. Il s'habille avec des vêtements de marque. Il se conforme aux normes sociales. Et il est très classique dans ses couleurs qui sont le bleu marine, le vert foncé ou le gris ;
– *Le punk* : Il a les cheveux colorés et le crâne en partie rasé. Il porte des vêtements de cuir cloutés. Sa couleur préférée est le noir. Sa philosophie de la vie est négative et cynique.
– *Le rocker* : Ses cheveux sont gominés et forment une banane. Il met tous les jours son blouson noir, son jean et ses bottes texanes. Il n'aime que le bleu et le noir. Il fait de la moto et joue de la guitare électrique.
– *Le baba cool* : Il a des cheveux longs et une barbe. On le voit toujours en jeans et avec sa chemise ample. Il aime les couleurs variées. Il joue aussi de la guitare.

– *Le rapeur* : Il a les cheveux en brosse. Il se promène en blouson, pantalon de jogging et baskets. Ses vêtements sont de couleurs vives et bigarrées. Il écoute un «walkman» et chante en parlant de façon saccadée.

22
Activités quotidiennes

2. Causes de ces évolutions : le temps libre et le niveau de vie des Français ont augmenté. Plus nombreux sont les gens qui possèdent la télévision. L'importance de ce média est grandissante. Elle devient le principal moyen d'information et de loisirs au détriment de la presse écrite. On assiste aussi à un resserrement des liens familiaux.

3. – L'atterrissage s'est bien déroulé.
– Leur mariage a été célébré le 1er septembre.
– Les bavardages sont interdits pendant la conférence.
– Le rinçage se fait en mettant le bouton sur 8.
– Le remplissage de la cuve de mazout se fait automatiquement.
– Le nettoyage de votre carburateur est nécessaire.

23
Famille et rencontres

1. – mon grand-père, le père de mon père
– ma tante, la sœur de ma mère
– mon cousin, le fils de mon oncle
– mon beau-père, le père de mon mari
– mon oncle, le frère de mon père et ma belle-sœur, la sœur de mon mari
– mon beau-frère, le mari de ma sœur
– ma nièce, la fille de mon frère
– le gendre de mon frère, le mari de sa fille
– la belle-fille de ma sœur, la femme de son fils

2.

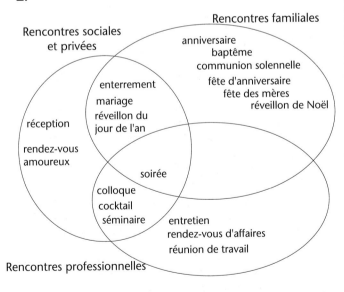

Rencontres sociales et privées
Rencontres familiales
Rencontres professionnelles

anniversaire
baptême
communion solennelle
fête d'anniversaire
fête des mères
réveillon de Noël

enterrement
mariage
réveillon du jour de l'an

réception
rendez-vous amoureux

soirée

colloque
cocktail
séminaire

entretien
rendez-vous d'affaires
réunion de travail

3. a. répéter
b. crier
c. expliquer
d. préciser
e. contredire
f. répondre
g. baisser la voix
h. nier

4. a. suggérer – b. conseiller – c. autoriser – d. s'excuser – e. encourager – f. consoler – g. refuser – h. remercier

24
La morale

1.

profession	qualités nécessaires	défauts à éviter
sportif professionnel	courageux (le courage) confiant (la confiance) tempérant (la tempérance) sobre (la sobriété)	≠ timide (la timidité) ≠ hésitant (l'hésitation) ≠ intempérant (l'intempérance)
trésorier	honnête (l'honnêteté)	≠ malhonnête (la malhonnêteté)
vendeur dans un lieu public	courtois (la courtoisie) poli (la politesse) patient (la patience)	≠ discourtois, impoli, vulgaire (l'impolitesse, la vulgarité) ≠ impatient (l'impatience)
chercheur scientifique	objectif (l'objectivité) persévérant (la persévérance)	≠ subjectif (la subjectivité) ≠ inconstant, capricieux (l'inconstance, les caprices)
enseignant	patient (la patience) compréhensif (la compréhension)	≠ impatient (l'impatience) ≠ incompréhensif, borné (l'incompréhension, la fermeture d'esprit)
juge	impartial (l'impartialité)	≠ partial (la partialité)
directeur d'une entreprise	clairvoyant (la clairvoyance) franc (la franchise)	≠ aveugle (l'aveuglement) ≠ hypocrite (l'hypocrisie)
«médecin sans frontières»	désintéressé (le désintéressement) généreux (la générosité)	≠ intéressé (l'intérêt, l'avidité) ≠ avare (l'avarice)

2. a. malhonnêteté et cupidité
b. négligence, légèreté et paresse
c. avarice et prodigalité
d. constance, modération et patience
e. égoïsme
f. courage
g. simplicité
h. respect

3. a) *Valeurs morales à travers le temps*

Moyen Âge	Renaissance	XVIIe siècle
Le chevalier – valeurs guerrières – la défense des grandes causes – le courage – la loyauté – la générosité – la fidélité – l'honneur	*L'humaniste* – la curiosité intellectuelle – l'ouverture d'esprit – le bon sens – la confiance en la nature – l'art	*L'honnête homme* – la société mondaine – la culture – l'art de la conversation – la courtoisie – le charme – l'esprit – la modération

XVIIIe siècle	XXe siècle
Le philosophe – la raison – la justice – la tolérance – l'égalité – le progrès – le bonheur	*L'intellectuel* – la lutte pour les grandes valeurs du XVIIIe siècle (liberté, égalité, fraternité) – la personne humaine

b) – Les valeurs dominantes actuelles sont surtout fondées sur l'individualisme. L'individu juge surtout sa situation personnelle, son bien-être physique et psychique (santé, amour, bonheur, loisirs, liberté), ses relations proches (amour, famille, enfants, amitié) et sa réussite professionnelle (travail) et matérielle (argent). On constate peu de référence aux grandes causes ou aux grands idéaux abstraits (l'égalité, la fraternité, la solidarité, la foi, la religion, la justice, l'honneur, la tolérance etc...) sauf la liberté.

25
Le gouvernement

1. *Monarchie absolue* : droit divin – roi – reine – pouvoir absolu – régime autoritaire.
Monarchie constitutionnelle : constitution – roi – reine – Parlement.
Dictature : dictateur – absence d'élection – pourvoir absolu – régime autoritaire.
Démocratie parlementaire : assemblée législative – constitution – élection – Parlement – président – Sénat – suffrage universel – référendum.
Bureaucratie : pouvoir abusif de l'administration.
Anarchie : absence de pouvoir.

2. a) Élections :
– présidentielles : le président de la République
– législatives : les députés
– régionales : les conseillers régionaux
– cantonales : les conseillers généraux
– municipales : les conseillers municipaux (qui élisent le maire)
– référendum : on répond par «oui» ou par «non»
b) Les étapes du gouvernement Rocard :
1 – 6 – 2 – 4 – 5 – 3 – 7 – 9 – 10 – 8

3. – réduction du chômage – construction de centres culturels – augmentation des salaires – diminution des charges sociales – protection des citoyens – réalisation de logements sociaux – formation des jeunes – éducation des enfants – intégration à l'Europe – augmentation des exportations

4. – *non-violent* : qui refuse d'utiliser la violence
– *anti-militariste* : qui refuse l'institution de l'armée
– *un pacte de non-agression* : qui exclut toute attaque contre le voisin
– *pro-gouvernemental* : favorable au gouvernement
– *le contre-espionnage* : service qui lutte contre l'espionnage dans un pays
– *un contresens* : interprétation fausse et opposée au sens véritable
– *un antigel* : produit qui empêche le gel
– *une pédagogie non-directive* : elle évite d'orienter le comportement ou le choix de l'élève et essaie de préserver sa liberté
– *prendre le contre-pied* : affirmer le contraire

Adverbe + Nom/Adj.	Préfixe + Nom/Adj.	Préposition + Nom
non-violent non-agression non-directif	anti-militariste pro-gouvernemental antigel	contre-espionnage contresens contre-pied
non = idée de négation	anti = contre pro = pour	contre = idée d'opposition

26
Conflits et solidarité

1. Les étudiants *réclament* une société plus juste... Ils *se révoltent* contre l'autorité... Ils organisent des *manifestations*..., élèvent des *barricades* et *affrontent* la police.
Les *syndicats* d'ouvriers et de fonctionnaires... *se mettent en grève*...
Ils *revendiquent* de meilleurs salaires... La France est paralysée par dix millions de *grévistes*.
Le gouvernement *négocie* avec les syndicats... Les syndicats votent alors la *reprise du travail*.

2.

Association	Destinataires	Aide proposée
Mamy Sitting Service	Personnes âgées seules ou impotentes.	Faire les courses, surveiller, emmener en promenade.
Comité National d'aide aux handicapés	Personnes souffrant d'un handicap physique ou mental.	Favoriser l'insertion des handicapés dans la société. Conseils, informations et assistance (gratuit).
SOS Amitiés	Personnes en détresse.	Réconfort moral, relation d'aide, conseils (gratuits).
SOS Dépression	Personnes déprimées.	Réconfort, soutien par téléphone (gratuit).
Les restos du cœur	Personnes très défavorisées.	Distribution de nourriture et de repas pendant l'hiver.

3. – actif → inactif = désœuvré – habituel → inhabituel = rare – légal → illégal = interdit (par la loi) – lettré → illettré = ignorant – limité → illimité = immense – logique → illogique = incohérent – mangeable → immangeable = mauvais – mobile → immobile = sans mouvement – moral → immoral = corrompu – occupé → inoccupé = libre – satisfait → insatisfait = mécontent – résolu → irrésolu = hésitant – respectueux → irrespectueux = insolent

27
Les faits divers

1.

Date	Lieu du délit	Auteur(s)	Victime(s)	Déroulement
17.06	Rues de Toulouse	un vendeur de reptiles	aucune	– Des pythons s'échappent. – Les pompiers les tuent. – Le propriétaire des pythons porte plainte.
09.06	Cité des Chamarts à Dreux (Eure-et-Loire)	des jeunes	un policier (blessé), quelques jeunes (blessés)	– Des jeunes volent une moto. – Des amis, un gardien de la paix essaient de la récupérer. – Les autres s'y opposent en leur jetant des pierres.
22.05	Lyon	un étudiant et deux copains	les parents de l'amie de l'étudiant	– Un étudiant fait croire aux parents de sa fiancée qu'elle a été enlevée, pour leur soutirer de l'argent. – Les policiers comprennent que le rapt n'est pas réel.
17.06	Bastia	deux hommes coiffés de casques de motard (tueurs professionnels)	T. Balbo, 19 ans	– Les deux hommes ont tiré sur la victime. alors qu'elle était dans sa voiture.
05.06	25 km de Bastia	quatre hommes masqués	Le chauffeur d'un camion	– Les quatre hommes arrêtent le camion, demandent au chauffeur d'abandonner son véhicule et y mettent le feu.

2. a) 1. voleur – 2. kidnappeur – 3. terroriste – 4. pyromane – 5. meurtrier – 6. assassin – 7. espion – 8. racketeur – 9. faussaire – 10. cambrioleur

3. *Scène 1* : Il est 2 h du matin. Une voiture s'arrête près du mur du château.
– Deux hommes descendent de la voiture.
– Les deux hommes escaladent le mur.
– Mais le château est surveillé par un système électronique.
– Le gardien est prévenu par un signal.
– Il téléphone à la police.
– Un commissaire et 10 policiers arrivent.
– Ils arrêtent les voleurs.
– Ils leur passent les menottes.
– Ils les mettent en prison.
– Les voleurs passent au tribunal pour être jugés.
– Leur avocat les défend.
– Mais ils sont condamnés à une peine de prison par le juge.
– Ils sont libérés un an après.
Scène 2 : Les deux prisonniers s'échappent en passant le mur de la prison avec une corde.
– Ils courent en direction de la forêt. Ils vont se cacher dans une cabane.
– Ils attendent un complice qui doit les prendre en voiture.
– Ce dernier est en retard, il roule à toute allure sur la route.
– L'évasion a été remarquée à la prison.
– La police recherche les deux évadés.
– L'opération est dirigée par un célèbre commissaire.
– Plusieurs équipes commandées par des inspecteurs sont sur les lieux.
– La police arrête les voitures sur les routes.
– Elle contrôle les identités, elle fouille les coffres.
– Elle utilise des chiens policiers. Ils ont senti quelque chose.
– La cabane est entourée.
– Le commissaire demande aux évadés de se rendre…
Scène 3 : La police recherche un terroriste.
– Un suspect est signalé par un barman.
– Il a remarqué un homme qui correspond au portrait robot diffusé par la police.
– Des agents en tenue civile filent le suspect.
– Mais celui-ci réussit à échapper à la surveillance d'un agent inexpérimenté.
– Il s'est dissimulé sous une fausse barbe et des lunettes.
– Mais le jeune agent réussit à comprendre la ruse.
– Le terroriste va poser la bombe.
– Il est arrêté par la police qui arrive.

28
Le monde

1. un arc…B…
une cabane en bois…C…
une caravane…A…
une dune de sable…A…
une flèche…B…
une forêt dense…B, C…
un fusil…B, C…
une hutte (sur pilotis)…B…
un hamac…B…
un javelot…B…
un masque de cérémonie…B…
des nomades …A…
une oasis…A…
un pagne…B…
un palmier…A…
un plateau de cuivre…A…

une piste…A, B, C…
un piège…C…
une pirogue…B…
une peau de renard argenté…C…
des raquettes…C…
un sorcier…B…
un tapis…A…
une tente A, C…
une tribu…B…
une théière…A…
un turban…A…
un traîneau…C…
un sabre recourbé…A…
des vêtements de peau…C…

2.

Pratiques religieuses	Culte des morts	Armée	Loisirs et communication	Habitat et décoration
autel cathédrale chapelle église mosquée temple	mausolée pyramide stèle tombe	arc de triomphe citadelle donjon forteresse muraille tour	manuscrit papyrus théâtre antique	château donjon fresque mosaïque palais tapisserie

3. a. antique – moderne ; b. d'occasion – neuve ; c. ancienne – nouvelle ; d. usées – neuves ; e. âgées – jeunes ; f. périmé – valide ; g. vieux – jeunes.

4. Le fleuve jaune : (Chine) ; Les Montagnes Rocheuses : (États-Unis) ; La Grande Barrière de Corail : (Australie) ; La tour penchée : (Pise – Italie) ; La Forêt-Noire : (Allemagne) ; La Vallée des Rois : (Égypte) ; La vallée de la Mort : (Californie – États-Unis) ; La Grande Muraille : (Chine) ; La Chaussée des Géants : (Irlande) ; Le pont des soupirs : (Venise – Italie) ; Le Lac Salé : (Utah – États-Unis) ; La pyramide du Serpent à plumes : (Mexique) ; La mer Noire : (Roumanie – Moldavie – Ukraine – Russie – Georgie – Turquie) ; Le Mont-Blanc (France) ; La Terre de Feu : (Argentine et Chili) ; La mosquée bleue : (Istanbul – Turquie) ; La Maison-Carrée : (Nîmes – France) ; Les Jardins suspendus : (Babylone – Irak).

29
Lire

1. 2. Théâtre : l'amour face à la corruption de la société.
3. Essai scientifique et philosophique : réflexions sur la biologie moderne.
4. Poésie : l'amour des choses et des êtres méprisés ou malmenés.
5. Récit biographique : la vie d'une ouvrière dans la Barcelone des années 30-40.
6. Nouvelles : chronique d'une petite ville dans un monde en mutation.
7. Science-fiction : le monde de l'an 2500 imaginé en 1932.

2. 3a – 5b – 1c – 4d – 7e – 9f – 8g – 10h – 6i – 2j.

3. a) Une lettre minuscule → une lettre capitale → une syllabe → un mot → une phrase/une ligne → un paragraphe → une page → un chapitre → une partie → un tome → une œuvre → une collection.

b) Un recueil (d) – un bouquin (f) – un manuel (b) – un livre de poche (e) – un manuscrit (g) — un registre (c) – un album (a).

30
Compter

1. a. 6 x 12 = 72
b. 7 + 6 = 13
c. 4 – 3 = 1
d. 12 : 2 = 6
e. 28 x 32 (56, 84) = 896

2. a. 3, 5, 10 – b. 8 – c. 13 – d. 14 – e. 7, 9 – f. 1, 5, 10 – g. 2, 4 – h. 11

3.

	Profession	Revenu principal	Avantages parallèles
b	Serveur de restaurant	salaire de 6 500 F par mois	pourboires – logement gratuit – nourriture gratuite
c	Directeur d'entreprise	rémunération : 30 000 F par mois	logement et voiture de fonction
d	Commerçant	revenus du commerce insuffisants	aucun – que des désavantages
e	Ouvrier maçon	salaire de 7 000 F par mois	travail au noir – logement à coût réduit grâce à ses compétences
f	Artiste	cachet important	droits sur les disques

4. a. Les *trois* mousquetaires ; b. Les *sept* merveilles du monde ; c. Il fait les *cent* pas… ; d. J'ai acheté *une douzaine* d'œufs ; e. «Garçon, *un demi*, s'il vous plaît et faites-moi l'*addition* !» ; f. Le chiffre *treize* porte bonheur (ou malheur) ; g. Les Contes des *mille et une nuits* ; h. Il a la *quarantaine* ; i. La *multiplication* des pains ; j. Je dois payer le *tiers* provisionnel ; k. … *comme deux et deux font quatre* ; l. … un pays du *tiers-monde*.

31
Les médias

1. a) *Journal, quotidien* : tous les jours, informations quotidiennes, régionales, nationales, internationales.
Magazine : opinions et synthèses sur l'actualité. Il peut être spécialisé (pour les femmes, les enfants, les hommes, dans la mode, l'automobile, etc.) Il peut être *hebdomadaire* (une fois par semaine) ou *mensuel* (une fois par mois).
Une revue : elle est en général très spécialisée (revues littéraires, scientifiques, etc.). Elle est la plupart du temps mensuelle (une fois par mois) ou trimestrielle (tous les trois mois). Elle peut être semestrielle (tous les six mois) ou annuelle.
b) *Le rédacteur en chef* : coordonne l'équipe des journalistes.
Les journalistes et les reporters : enquêtent, écrivent les articles.
Les correspondants sont des personnes qui habitent les communes et qui informent la rédaction.
Les porteurs apportent le journal à domicile.

c) Le journal *Ouest-France* a un tirage important parce que c'est un quotidien régional qui couvre 12 départements. Les habitants de ces départements préfèrent Ouest-France à un quotidien national parce qu'ils y trouvent des informations concernant leur ville et leur région.

Les 38 éditions d'Ouest-France ont des pages communes (informations nationales et internationales) et des pages contenant des informations spécifiques aux zones de distribution.

e) Pages internationales : Europe – Amérique du Nord – Afrique – etc.

Pages nationales : politique – économie – société – justice – éducation – sport – livres – art et spectacles.

f) Offres d'emploi – demandes d'emploi – immobilier (locations, ventes) – cours et leçons – occasions (autos, motos, bateaux, etc.) – rencontres – bonnes affaires – sciences occultes – etc.

2. a)

Le poste de télévision	Les émissions et les programmes	Le comportement des téléspectateurs
la télévision le petit écran la télé une chaîne diffuser allumer/éteindre le poste	une émission, le présentateur, la publicité, un programme, les informations, un feuilleton, une émission de variétés, un jeu télévisé le journal télévisé la météo	• regarder, boire les paroles, avaler tout • critiquer, enregistrer des émissions • se méfier, images trompeuses, publicité envahissante, programmes ennuyeux • le poste est toujours allumé, il oublie de l'éteindre, les présentatrices sont ses seules compagnes

b)

Le poste de télévision	Les émissions et les programmes
un bouton une touche une télécommande	un animateur un reporter un reportage un flash d'informations un flash publicitaire une émission en direct

3. a. J'ai acheté le *programme*... pour sélectionner les *émissions*...

b. ... sur la 3e *chaîne*, ... écoutez en même temps la *station*...

c. Je vais écouter les *informations*... Il y a des *nouvelles* importantes.

d. ... a fait une *publicité* mensongère. Le tribunal lui a donné un *avertissement*... et l'a condamnée à mettre une *annonce*...

e. Une série de *personnages*... chacun a un *caractère*...

f. quelqu'un de très *habile* de ses mains... je ne le crois pas *capable*...

32
Les voyages

1.

	Rapidité	Prix	Sécurité	Confort	Convivialité
Avion	rapide	cher	sûr	confortable	conversations possibles
Taxi	imprévisible	coûteux	sûr	commode	sollicitée par le chauffeur
Bateau	lent	étudié	sûr	agréable reposant	favorisée (bar, dancing)
Vélo	lent	économique	risqué	fatigant	difficile
Train	ponctuel	bon marché	sûr	contraignant à cause des horaires	rencontres possibles
Voiture personnelle	variable	coûteux	risqué	autonomie	déconseillée
Moto	pratique dans les embouteillages	élevé	dangereux	bruyant	impossible
Métro	rapide	modique	imparfaite	inconfortable	rare
Voyage à pied	interminable	gratuit	aventureux	pénible	occasionnelle

2.

Voyage en train (de Paris à Nice)	Voyage en voiture (de Paris à Marseille)	Voyage en avion (de Paris à New York)	Voyage en bateau (de Nice en Corse)
a, c, k, t, o, s, e, n	u, t, i, o, g, x, y, e, n	a, b, q, v, p, i, l, s, h m, e, w	a, d, p, r, s, f, m

3. Nous sommes partis à l'heure exacte. Nous avons décollé à deux heures précises. Et l'attente à l'aéroport a été plutôt agréable. On nous a même offert des boissons. Le vol a été très reposant. On n'a rien remarqué. Pas une secousse, pas la moindre vibration. J'étais assise à côté du hublot. J'ai pu admirer le paysage pendant tout le trajet. Malheureusement, le service était négligé, les hôtesses désagréables, et les repas immangeables. Mais à l'arrivée, quelle magie ! Le pilote a réussi à se poser en douceur et tout le monde a applaudi.

4. a) *Objets pour la plage tropicale* : 2, 11, 12, 13, 14, 15.
b) *Objets pour la randonnée* : 3, 6, 10, 16, 17, 18.
c) *Objets pour la visite de l'Angleterre* : 1, 4, 5, 7, 8, 9.

33
Les sports

1. *Sur un terrain* : le golf (une balle – un club) – le hand-ball (un ballon) – le lancer du poids ou du javelot – le football (un ballon) – le volley-ball (un panier – un ballon) – le rugby.

Sur un court : le tennis (une balle – une raquette – un filet).
Dans une salle : la boxe (un ring – des gants) – l'escrime (une épée) – la gymnastique – la lutte – le ping-pong (une raquette – une table) – la relaxation.
Sur une piste : la course à pied.
Sur une route : le cyclisme (un vélo).
Sur un chemin : la marche – l'équitation (un cheval).
Dans une piscine : la natation.
Sur une patinoire : le patinage (des patins).
En montagne (sur piste ou hors pistes) : le ski (des skis).
En mer : la voile (un bateau).

2.

Sports	Qualités physiques	Qualités techniques	Qualités mentales
Tennis	forme physique générale, bons réflexes, rapidité	longue préparation, travail du bras et des jambes	concentration, calme, capacité de calcul stratégie
Football	énergie physique	intelligence et finesse du jeu	esprit d'équipe, intelligence
Course de fond	souffle, résistance	entraînement quotidien	goût de l'effort, volonté, passion du sport
Judo	souplesse, rapidité, sens de l'équilibre	importance de la technique	maîtrise de soi
Voile	résistance générale, ne pas avoir le mal de mer, résistance au sommeil	bonne connaissance de la mer et du bateau	calme, maîtrise de soi (dans les tempêtes)
Escalade	sens de l'équilibre, force dans les bras et les jambes, insensibilité au vertige	connaissance de la montagne, sang-froid connaissance des techniques d'escalade	grande maîtrise de soi
Haltérophilie	grande force physique	technique de l'haltérophilie	grande capacité de concentration, sens de l'effort
Course automobile	bonne condition physique excellents réflexes	connaissance de la conduite	concentration, maîtrise de soi.

3. a) *Vocabulaire de la victoire*
– Les Duchesnay : se distinguer, brillamment, faire un triomphe, décrocher une note, monter sur la première marche du podium, une médaille d'argent (qui) vaut de l'or, formidable ovation, progression prometteuse.

4. *aider* → une aide
aller → un aller (une allée)
couvrir → une couverture
conduire → la conduite
déjeuner → un déjeuner
dépenser → une dépense
donner → un don
entrer → une entrée
fuir → une fuite
galoper → le galop
lancer → le lancer (du poids)

monter → une montée
manger → le manger
plonger → la plongée
offrir → une offre
savoir → un savoir
sortir → une sortie
suivre → une suite
surprendre → une surprise
voir → la vue

34
Le cinéma et le théâtre

1. a10 – b6 – c9 – d1 – e3 – f2 – g4 – h7 – i5 – j8.

2. 3. Le choix du sujet peut être à l'initiative du producteur, d'un réalisateur, d'un scénariste ou des trois en commun. 8. Le producteur – 5. Le scénariste dialoguiste – 1. Le metteur en scène (réalisateur) – 9. Le metteur en scène ou son assistant, le décorateur – 2. Metteur en scène, acteurs et actrices, cascadeurs, cadreur, script, éclairagiste – 10. Le monteur (la monteuse) – 6. Le publicitaire – 4. Le distributeur, l'ouvreuse – 7. Les critiques de cinéma.

3. *La note bleue. Sujet* : la fin des amours de George Sand et de Chopin (à compléter avec une bonne biographie).
Mise en scène : la vision des artistes est plutôt comique.
Interprétation : bonne pour les rôles de Chopin et de Sand.
La vie des morts. Sujet : quatre familles se retrouvent à l'occasion du suicide d'un cousin. Sujet fort.
Mise en scène : Arnaud Desplechin fait preuve de talent et d'une grande maîtrise.
Dialogues : bruts – regards aigus sur une réalité sociale.
Total Recall. Sujet : sciences-fiction et fantastique. Film riche et sophistiqué.
Mise en scène et décors : bon rythme et séquences spectaculaires, sophistication, charme vénéneux.
Interprétation : Schwarzenegger surprend dans un rôle plus riche que ceux auquel il nous a habitués.

4. Décidément notre théâtre se porte bien. On vient d'en avoir une excellente preuve avec la nouvelle pièce de Paul Buisson, *Le Bûcheron des Ardennes*.
On suit avec facilité et plaisir cette intrigue brillante, chargée d'une puissante tension dramatique. Jacques Laforêt, le metteur en scène, a travaillé sur un texte splendide et sa

réalisation est superbe. Par ailleurs, les décors sont riches, les éclairages nuancés, les costumes gais et somptueux et la mise en scène est une suite de délicieuses trouvailles. On a voulu nous faire rire et pleurer. C'est réussi ! Buisson et Laforêt sont dignes de Pagnol et de Molière.
Les acteurs ne font que rehausser le niveau de la production. Voix pleine et grave, gestes sûrs et harmonieux, Bruno Dubois est parfaitement dans son rôle. Quant à Hyacinthe Despré, elle brûle les planches par l'intelligence de son jeu de scène et sa voix chaude et pleine d'émotion. À voir au plus tôt.

35
Les arts

1.

	H. Rousseau	M. Chagall
a) 1er plan	Jeune femme nue allongée. Herbes, plantes exotiques	Grand lièvre emportant une femme dénudée couchée sur son dos.
2e plan	Végétation tropicale. Joueur de flûte.	Paysage renversé, ciel en bas (lune), terre en haut (prairies, arbres).
Arrière plan	Fôret tropicale	
b) Caractérisation des tableaux	Figuratif. Naïf.	Symbolique. Éléments figuratif utilisés sans souci de ressemblance.

2.

L'artiste	L'action	Les œuvres
Le peintre	peindre	une peinture, une gouache, une aquarelle, une huile, un tableau, une toile.
Le sculpteur	sculpter	une sculpture, un buste, une statue.
Le graveur	graver	une gravure, une lithographie, une estampe.
Le dessinateur	dessiner	un dessin, une esquisse, un crayon, une plume.
Le photographe	photographier	une photo, un cliché, une diapositive.
Le caricaturiste	caricaturer	une caricature.

3. *Baroque* : 2 – 3 – 11 – 13 – 19.
Classicisme : 8 – 9 – 12 – 13.
Romantisme : 8 – 11 – 14.
Impressionnisme : 14 – 15 – 17.
Cubisme : 4 – 6 – 16 – 17.
Fauvisme : 5 – 17.
Surréalisme : 4 – 7 – 18 – 20.
Art abstrait : 1 – 10

36
La musique

1. a 5 – b3 – c7 – d8 – e1 – f4 – g2 – h10 – i9 – j6.

2. a. 4 – 13 – 14 – 15
b. 1 – 2 – 3 – 7 – 8
c. 5 – 6 – 9
d. 10 – 11 – 12 – 8

3. *Harry Connick Jr* : – pianiste talentueux
– style et voix qui rappellent les grands maîtres du jazz,
– grand art de la scène.
Joe Jackson : – compositeur et interprète original,
– grande diversité de son répertoire,
– aisance parfaite. Défaut : fantasque et acariâtre.
Keith Jarrett : – doué (joue de nombreux instruments et compose),
– répertoire varié (s'inspire de la musique classique, des grands maîtres du jazz ou improvise),
– passionné et généreux (se donne totalement).

4. – *aigu*
une voix haute
une douleur forte
une flèche pointue
une intelligence vive
– *fort*
une voix puissante
un caractère énergique
une odeur violente
un café serré
– *doux*
un aliment sucré
un caractère conciliant
une étoffe fine
une musique mélodieuse

– *grave*
un son bas
une maladie sérieuse
un homme austère
un problème important
– *faible*
une voix peu audible
un élève médiocre
une personne sans volonté
un vent léger
– *dur*
une voix désagréable
un bois résistant
un exercice difficile
une personne sans cœur

37
L'apprentissage

1. a) *École maternelle* : d – *École primaire* : b – *Collège* : c – *Lycée* : f – *Université* : a – *Grandes Écoles et autres* : e
b) *Approfondir* des connaissances → *approfondissement* ; *initier* quelqu'un à quelque chose → *initiation* ; *apprendre* → *apprentissage* ; *découvrir* → *découverte* ; *étudier* → *études* ; *acquérir* des connaissances → *acquisition* ; *former* quelqu'un à quelque chose → *formation* ; *préparer* un examen → *préparation*.

3. E = élève – P = professeur
appliqué ≠ négligent (E – P)
assidu ≠ souvent absent (E – P)
clair ≠ confus (E – P)
compétent ≠ incompétent (P)
discipliné ≠ agité (E)
juste ≠ injuste (P)
passionnant ≠ ennuyeux (P)
persévérant ≠ irrégulier (E)
réfléchi ≠ étourdi (E)
indulgent ≠ sévère (P)

4. un amusement – un étonnement – un remboursement – un dérangement – un renseignement – un changement – un tutoiement – un refroidissement – un paiement – un agissement – un avertissement – un ralentissement.

5. 1. Une femme est en train de se noyer. Un jeune homme se précipite pour l'aider à sortir de l'eau.
2. Le jeune femme *s'efforce* d'attraper la branche que le jeune homme lui tend mais il lui est *impossible* d'y *parvenir*.
3. Le jeune homme *essaie* alors de lui lancer une corde. Elle l'*attrapera* peut être plus *facilement*. Mais la corde se casse et la *tentative échoue*.
4. Persévérant, le jeune homme *tente* de lui jeter une bouée. Mais il *rate* sa cible et assomme la jeune femme.
5. C'est un nageur expérimenté qui *réussira* à ramener la jeune femme sur le rivage.

38
Les professions

1. a) un éleveur – une assistante
une décoratrice – un directeur
un pêcheur – une correctrice (un professeur)
une coiffeuse – un créateur (un artiste)
un fabricant – un percepteur
b) un épicier – une libraire
une antiquaire – un sociologue
un fleuriste – une pharmacienne
une harpiste – une banquière
un journaliste – un électricien

2. a)

Avantages	Inconvénients
– permet des contacts, de se faire des connaissances – sentiment d'être utile et d'avoir une fonction sociale qui dépasse le cadre professionnel – laisse du temps libre.	– les chiens de garde sont parfois dangereux – travail stressant. Lourde responsabilité – pénible et répétitif – traitement insuffisant.

b) – *Policier* : 5 – 9 – 11 (dangereux) – 18.
– *Avocat* : 9 – 10 (difficultés de conscience quand on doit défendre des causes que l'on réprouve).
– *Représentant de commerce* : 1 – 8 – 10 (exige une grande disponibilité).
– *Artiste de cinéma* : 4 – 6 – 13 – 17 (précarité de l'emploi – difficulté de préserver sa vie privé).
– *Agriculteur :* 3 – 7 (on est soumis aux aléas du temps et des marchés).
– *Fonctionnaire* : 9 (devoir d'obéissance – pas d'indépendance ni d'initiatives) – 19 – 18.
– *Militaire* : 11 – 14 – 18 (dangereux – devoir d'obéissance).
– *Ambassadeur* : 3 – 8 – 10 – 17 (on doit toujours être en représentation – contraintes de la vie sociale).
– *Écrivain* : 2 – 4 – 6 – 7 – 13 – 16.
– *Ministre* : 3 – 5 – 12 – 10 – 14 – 15 – 20 (précarité de l'emploi – nécessite une lutte constante contre les opposants).

39
Le bureau

1. *Agenda* : noter les rendez-vous, les réunions – faire des plans de travail.
Agrafeuse : agrafer des feuilles de papier – fixer une affiche au mur.

Bloc-note : prendre des notes.
Calculette : calculer rapidement – compter.
Cendrier : déposer les cendres des cigarettes ou tout autre objet (agrafes, trombones, etc.).
Chemise : classer et ranger les documents.
Ciseaux : couper, découper.
Classeur : classer des documents – ranger des dossiers (meuble classeur).
Gomme : effacer – gommer.
Règle graduée : tracer, tirer un trait – mesurer.
Tube de colle : coller.

2. … le téléphone *sonne*. La secrétaire *décroche*.
… Ne *raccrochez* pas !… Vous avez eu un *appel* de Gérard Coursil.
Il doit vous *rappeler* à 18 h. Je lui ai dit de vous *appeler* sur votre *ligne* personnelle.
… elle est en *dérangement*… je n'arrive pas à avoir la *tonalité*.

Donnez tout de suite un *coup de fil*.
… je n'ai pas son *numéro*.
… cherchez-le dans *l'annuaire* ou sur le *minitel*.

4. a) *Théâtre d'avant-garde* : un théâtre qui apporte des idées nouvelles, qui est audacieux.
Action préméditée : qui a été projetée à l'avance.
Époque post-industrielle : venant après l'époque des grandes industries.
Entrecôte : morceau de viande de bœuf coupé entre les côtes.
Des prédictions : des affirmations sur l'avenir.
Après-guerre : années qui suivent les périodes de guerre.
Après-ski : chaussures chaudes qu'on porte aux sports d'hiver quand on quitte les chaussures de ski.
Interligne : espace blanc entre deux lignes.
b) 1. L'après-dîner – 2. l'entracte – 3. un intervalle – 4. l'avant-guerre – 5. une réunion interministérielle – 6. la Préhistoire.

40
L'entreprise

1.

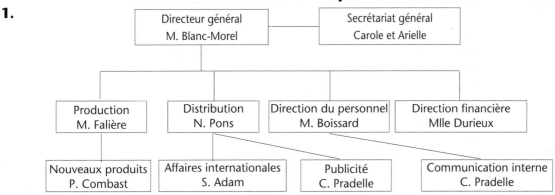

2. c – e – i – f – g – a – j – b – d – h.

3. a) – *Travailler* : bosser, *s'amuser* : s'éclater
b) – un micro-ordinateur – une disquette – un programme – programmer – un traitement de texte – la micro-informatique – une cartouche – un écran – un clavier – un lecteur de disquettes.
c) Fonctions : programmer – traitement de textes – jeux.

4. a) *produit incomparable* = bien meilleur que les autres
objet incassable = qui ne se casse pas
proposition convenable = qui convient, acceptable
interlocuteur crédible = en qui on croit
éligible = qui peut être élu
invincible = impossible à vaincre
b) réalisable – perfectible ; inflammable – pardonnable ; immangeable – illisible

41
L'industrie

1.

Type d'énergie	Source	Avantages	Inconvénients
énergie pétrolière	pétrole, gaz naturel	réserves importantes	gisements épuisés dans 33 ans, pollution de l'atmosphère
houille	charbon	réserves très importantes	pollution (pluies acides dues au gaz carbonique)
énergie hydro-électrique	lacs artificiels, cours d'eau, marées	réserves inépuisables	exploitation impossible dans les pays pauvres en eau
énergie géothermique	sources d'eau chaude, volcans	non polluante, disponible	exploitation complexe, technologie peu avancée
énergie nucléaire	fission de l'atome	peut être produite n'importe où, garantit l'indépendance énergétique des pays qui l'exploitent	dangereuse à court et à long terme
énergie solaire	rayonnement du soleil	inépuisable, propre	coûteuse, difficile à stocker

2. a → 14, 20, 28
b → 2, 6, 15
c → 1, 5, 29
d → 7, 8, 10
e → 13, 19, 23
f → 12, 27, 30
g → 11, 16, 24
h → 4, 17, 25
i → 3, 18, 22
j → 9, 21, 26

42
Le commerce

1. … Alors, ils font des *soldes*. Ils *liquident* tout leur stock… il y a vraiment des *affaires* ! Hier, j'ai *acheté*… j'ai osé *marchander*… ils m'ont fait un *rabais* de 100 F.
Mais fais attention quand tu *paies* à la caisse… La caissière lui a *rendu la monnaie* sur 100 F… ne paie pas *en liquide* ! Paie avec ta *carte de crédit* ou *par chèque* !

2. – *Qualités du vendeur idéal*
Il doit savoir établir le contact avec le client et nouer avec lui des relations ni trop conviviales ni trop distantes.
Il doit bien connaître ses produits et paraître passionné par ce qu'il vend.
Il doit savoir écouter le client et s'adapter à sa personnalité.
Il doit séduire et faire preuve de ténacité.
– *Le mauvais vendeur* est incapable de donner des précisions sur les produits qu'il vend et ne montre aucun enthousiasme pour eux. Il est froid, distant, méprisant.
Il abandonne le client si celui-ci n'achète pas immédiatement.
– *Le bon acheteur* est perspicace. Il ne se laisse pas facilement influencer.
Il demande de nombreux renseignements. Il se montre tenace dans la négociation.
– *Le mauvais acheteur* achète les yeux fermés. Il ne cherche pas à voir la faille dans l'argumentation du vendeur. Il est influençable.

3. Déficit du commerce de papier (en milliards de francs)

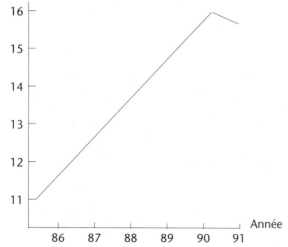

Raisons de l'évolution.
Faiblesse de l'industrie française et cours mondiaux élevés.
Depuis 1990, chute des cours mondiaux et mise en route en France de nouvelles usines.

4. *Une boîte* d'allumettes, de haricots en conserve.
Une bouteille d'eau minérale, de vin.
Un bidon d'essence, d'huile pour moteur, de peinture.
Une caisse de livres.
Une cartouche d'encre pour stylo, de paquets de cigarettes.
Un flacon d'encre, de parfum.
Un paquet de bonbons, de cigarettes, de lessive.
Un pot de colle, de confiture, de miel, de peinture.
Un sac de ciment, de pommes de terre.
Un tube de cachets d'aspirine, de colle.

5. Henri *offre*… – Le vieux célibataire *lègue*… – Le collectionneur *échange*… – Hervé *avance*… – La Croix Rouge *distribue*… – Mme Renaud *a confié*… – La vieille ferme en ruines a été *abandonnée* aux vagabonds – Il a *cédé* sa place…

43
L'agriculture

1. Les Causses (c) – la Camargue (d) – les Hautes-Pyrénées (a) – le Comtat-Venaissin (b).

2.

Saisons	État de la nature	Activités agricoles
Printemps	– fleurs en boutons – les fleurs s'épanouissent – apparition des bourgeons – croissance des feuilles – fruits verts	– irriguer – labourer – semer – désherber – traiter les arbres fruitiers
Été	fruits mûrs	– arroser – irriguer – récolter : cerises, fraises abricots, prunes pêches, melons – moissonner le blé
Automne	– les feuilles jaunissent – chute des feuilles	– vendanger les vignes – labourer – planter les jeunes arbres
Hiver	– arbres sans feuilles	– tailler les arbres – fertiliser le sol – semer

3. a) *Fruits* : raisin, pomme, poire, châtaigne, figue, noix…
Légumes : citrouille, champignon, pomme de terre, navet…
b) *Fruits juteux* : l'ananas, l'orange, le pamplemousse.
Fruits secs : l'amande, la châtaigne, la noix.
Fruits sucrés : le raisin, la datte, etc.
Fruits acides : le citron.
Fruits aqueux : la pastèque, le melon.

4. – *L'âne* : évoque l'ignorance. Dans les classes du début du xxe siècle, les mauvais élèves portaient un bonnet d'âne ; évoque aussi l'obstination. On dit : «Il est têtu comme un âne.»
– *Le coq* : suite au double sens du mot latin «gallus» qui signifiait à la fois *Gaule* et *coq*, le coq devient l'emblème de la

France. Jusqu'à une époque récente, les clochers des églises étaient surmontés d'un coq.

Il symbolise aussi l'orgueil : orgueilleux comme un coq – un jeune coq (un jeune homme ambitieux).

– *L'oie* : symbolise la bêtise et l'ignorance. «C'est une oie» se dit d'une jeune fille naïve et ignorante.

– *Le pigeon* : évoque le voyage «un pigeon voyageur» ; signifie aussi la naïveté et la crédulité. «C'est un pigeon» se dit de quelqu'un qui se laisse facilement berner.

– *Le mouton* : symbolise la multitude et l'uniformité ; «ce sont des moutons» : ils suivent quelqu'un ou une idée sans réfléchir, sans faire preuve d'originalité.

– *Le chien* : symbole de la fidélité pouvant aller jusqu'à l'obéissance aveugle : «il la suit comme un chien».

– *La poule* : «une poule» signifie une jeune femme entretenue ;
«la poule aux œufs d'or» évoque la richesse.

– *Le poisson* : fait penser au vendredi, jour du poisson pour les catholiques et au 1er avril où l'on fait des farces et des mystifications : «les poissons d'avril».

– *Le porc* : évoque la saleté et la grossièreté.

– *Le veau* : symbolise l'apathie intellectuelle. «Ce sont des veaux» : ils ne réagissent pas, ne se révoltent pas, ne prennent aucune initiative.

44
Les services

1. On trouvera parmi ces offres publicitaires :

– *Les Déménageurs bretons* pour déménagements, transport de meubles ou d'objets lourds.

– *Art et gravure* : gravure des plaques professionnelles, des tampons, etc.

– *Gaz technique* : entretien et réparation des appareils à gaz (cuisinières, chauffe-eau).

– *Kiloutou* : location de matériel (outils pour la maçonnerie, le jardinage, la menuiserie, etc.) et de véhicules (camionnettes pour déménagements, petits tracteurs, etc.).

– *Discomobile Pyramide* : fournit tout le matériel pour l'animation des soirées (musique, lumières, décoration, animateur).

– *Alarme sécurité* : systèmes d'alarme.

– *Allo télé* : dépannage télévision, pose d'antennes, etc.

– *Bâcherie des dômes* : fourniture de bâches de protection, installation de tentes de réception (dans les parcs et les jardins).

– *Daguillon S.A.* : installation et réparation de vitres, miroirs, volets, portes automatiques, etc.

2. b. : à la perception – c. : au syndicat d'initiative – d. : dans une station service – e. : chez le vétérinaire – f. : dans une compagnie d'assurance – g. : à la sécurité sociale – h. : à la mairie – i. : dans une boulangerie – j. : dans une boucherie – k. : dans un bureau de tabac – l. : dans une mercerie – m. : chez une voyante – n. : chez le notaire – o. : chez une esthéticienne – p. : dans un club de gymnastique ou de yoga.

3. 3 – 5 – 1 – 6 – 8 – 2 – 4 – 7

45
L'espace

1. *Devant* la fenêtre : une place.
Au milieu de la place : une fontaine.
Autour de la fontaine : des bancs.
En face de la fenêtre : un immeuble d'un étage.
En bas : une pharmacie.
Au-dessus de la pharmacie : un appartement.
À droite de la pharmacie : un salon de coiffure
À gauche : un restaurant.
Derrière les maisons : la campagne ; *à droite :* une rivière ; *à gauche* des collines.
Le long de la rivière : des arbres.
Une route monte et passe *à travers* la forêt.

2. De hautes montagnes *dominent* la ville. Des palmeraies et des champs d'oliviers *entourent* la ville. Le Club Méditerranée *côtoie* la place principale. Tout près de là, *s'élève* le minaret de la Koutoubia. Un peu plus loin *se trouve* le souk. Là, *s'alignent* des centaines de boutiques. Nous avons eu beaucoup de mal à *traverser*… Nous *avons longé* les boutiques… le coin des teinturiers qui *se situe* un peu plus bas.

3. *Les jardins arabes :* Petits espaces. Organisés d'une manière logique, ordonnés, proportionnés. Le jardin s'intègre au bâtiment qu'il prolonge comme une pièce supplémentaire. Dessins réguliers. Formes géométriques.

Jardin à la française : Grand espace plat ou légèrement gradué avec terrasses. Formes géométriques (carrés, rectangles, cercles, triangles) des massifs de verdure et des bassins. Allées rectilignes.

Tout est ordonné et proportionné. Prédominance de la ligne droite. Effets de perspective.

Jardin à l'anglaise : Prédominance de la ligne courbe. Les formes s'inspirent de la nature. Allées sinueuses. Alternance de massifs et d'arbres isolés. L'important est le jeu de l'ombre et de la lumière. Il s'agit de reconstituer un milieu sauvage et naturel.

46
Le mouvement

1.

Verbes et expressions de mouvement	Lieux traversés
fuir – monter au galop retomber se lancer faire un crochet dévaler – buter repartir – grimper – descendre	le sentier d'une côte un étroit vallon des broussailles un plateau vide la voie du chemin de fer pays désert coupé de monticules

2. L'armée des Ripoux *avance* vers la rivière, la *traverse* et se divise en deux. Une partie *grimpe* (escalade) la montagne jusqu'au sommet et *redescend à travers* la forêt. L'autre partie *contourne* la montagne vers la droite.

L'armée des Pourris *a descendu* les collines et a traversé la plaine. Elle aussi se divise en deux.

Une première armée Pourris s'avance en direction de l'aile

droite des Ripoux. Les deux ennemis s'affrontent et les Pourris *reculent* en direction de leur camp.
La deuxième armée Pourris *évite* l'aile gauche des Ripoux, *traverse* la rivière et la *longe* de façon à *atteindre* le camp Ripoux et à le prendre par surprise. Mais l'aile droite des Ripoux…

3. «… Qu'est-ce que tu *emportes*… ? On ne pourra jamais la *porter*… !
On va la faire *transporter*…
Tu sais qu'il faut *apporter* un cadeau… Philippe ne *supporte* pas l'opéra… je vais *rapporter* ce coffret…
Si, mais je vais le *reporter* à… après votre départ… J'ai promis à Arielle de l'amener en ville. De retour, je *ramène* Perrine…
Tu *m'emmènes* ? … je me fais *mener* par le bout du nez.

47
Couleurs et consistance

1. *La lune* → rouge (couleur).
L'horizon → brumeux (couleur et formes confuses).
Le brouillard → danse (mouvement).
La prairie → s'endort (immobilité).
            fumeuse (couleur, odeur).
La grenouille → crie (bruit).
Les joncs → verts (couleur).
        → circule *un frisson* (mouvement et impression de froid).
Les fleurs des eaux → referment (mouvement).
Les peupliers → droits, serrés, spectres incertains (immobilité, forme confuse, couleur).
Les buissons → les lucioles (lumière).
Les chats-huants → sans bruit (silence).
            → rament (mouvement).
            → air noir (couleur).
Le zénith → lueurs sourdes (couleur – bruit).
Vénus → blanche (couleur)
        → émerge (mouvement).
La poésie de Verlaine est une poésie de *la sensation*. Dans ce poème, ce sont *les impressions de couleurs et de mouvement qui dominent* (mais on y trouve également des bruits, des odeurs, des sensations tactiles). Il s'agit d'évoquer l'intense activité qui prélude à la nuit.

2. La carte verte (b) – le feu vert (d) – le feu rouge (c) – la lanterne rouge (j) – la liste rouge (n) – la ligne jaune (e) – le maillot jaune (k) – la carte bleue (h) – le steak bleu (g) – le cordon bleu (f) – le livre blanc (p) – avoir carte blanche (o) – la carte grise (a) – la matière grise (q) – l'humour noir (l) – le marché noir (i) – les idées noires (m).

3. La sauce avait une couleur *jaunâtre* (*verdâtre, blanchâtre, etc.*).
La fièvre lui avait donné des *rougeurs*…
Il portait un costume *verdâtre*.
… les méchancetés montraient bien la *noirceur* de son âme.

4. a. souple – b. lisse – c. rigide – d. dure – e. tendre – f. fluide – g. solide – h. gras et collants.

48
Formes et matière

1. a) «*son triangle*» → le triangle en bois qui sert à faire des tracés au tableau. *Son centre bat* : c'est le cœur des élèves qui bat à cause de la crainte. «*un trapèze*» → il évoque l'image d'un «parapet dur», image du problème insurmontable, de la difficulté, etc. «*le problème se tortille et se mord la queue*» → forme de sinusoïde et de cercle.
Toujours l'idée de la difficulté. Le problème provoque d'autres problèmes (dans la classe).
«*un angle*» → il est identifié à une mâchoire de chienne ou de louve.
Les mathématiques deviennent une discipline terrifiante, monstrueuse.
«*les chiffres*» → ils appellent l'image de la fourmilière en mouvement. L'élève est perdu, égaré devant la suite des équations inscrites au tableau. Image de la difficulté de comprendre l'aspect multiforme et changeant du savoir.

1. b) Différents éléments sont combinés : une femme (tête – buste – bras et mains – plis de la robe) + un vase + une colonne + un mur (ou chapiteau).
• visage *ovale* – front *arrondi* – arête du nez indiquée par 2 lignes *parallèles* – œil *ovale* – pupille *ronde* – *arc de cercle* des paupières – *ligne courbe* des sourcils – *courbe* des ailes du nez – rencontre du nez et des lèvres marquée par 2 *lignes parallèles* – lèvre supérieure : 2 petits *triangles* – cheveux : *lignes courbes* – cou : suggéré par 2 lignes *parallèles*.
• Buste : *volume* constitué par une partie de *sphère* – Poitrine : *un cercle* – collier de perles *ovales*.
Un *trapèze* à 3 angles (le quatrième est effacé) – Motifs : 1 *ligne brisée* – 1 *arc de cercle* – une frise : *ligne courbe* et grains *ovales*.
• Bras et mains : disposition *perpendiculaire* du bras et de l'avant-bras droit – Bras gauche : arc de cercle – disposition *parallèle* des doigts.
• Le vase : briques *rectangulaires* – lignes *parallèles* et *perpendiculaires*.
• Plis de la robe et cannelures de colonnes : *lignes parallèles*.

2.

Minéraux	Métaux	Origine végétale
la brique	l'acier	le bois
la céramique	l'argent	le caoutchouc
le marbre	le cuivre	le coton
la pierre	le fer	le lin
le plâtre	l'or	la paille
le sable	le plomb	
le verre		

Origine animale	Produits de synthèse
la cire	les fibres de carbone
le cuir	le plastique
l'ivoire	la soie artificielle
la laine	le textile synthétique
la soie naturelle	

– *coffre-fort* → acier
– *meuble ancien* → bois
– *statue* → marbre
– *alliance* → or
– *épée* → fer
– *balle* → caoutchouc
– *ballon* → cuir
– *ampoule* → verre et cuivre
– *un livre* → papier
– *un tuyau* → cuivre, plomb, plastique
– *skis* → fibres de verre
– *fil de pêche* → nylon

3. a5 – b7, 1 – c9 – d4, 6 – e8, 2 – f3.

49
Poids et dimensions

1.

Adjectif	Nom	Verbe
large	la largeur	élargir
long	la longueur	allonger
haut	la hauteur (le haut)	hausser
grand	la grandeur	agrandir
vide	le vide	vider (évider)
lourd	la lourdeur	alourdir
épais	l'épaisseur	épaissir
creux	le creux	creuser
profond	la profondeur	approfondir

Adjectif	Nom	Verbe (vendre...)
étroit	l'étroitesse	rétrécir
court		écourter, raccourcir (le raccourci)
bas	le bas	baisser
petit	la petitesse	rapetisser
plein	le plein	remplir
léger	la légèreté	alléger
mince	la minceur	amincir
plat	le plat	aplatir

2. *Bas* – une table basse (aux pieds courts) ; une voix basse (grave) ; un prix bas (bon marché) ; un comportement bas (méprisable). *Haut* – le plafond haut (élevé) ; une voix haute (aiguë) ; un haut fonctionnaire (important) ; la haute Antiquité (ancienne). *Long* – des cheveux longs (pas coupés) ; un long voyage (qui dure) ; avoir le bras long (être puissant et influent) ; avoir les dents longues (être ambitieux). *Court* – une distance courte (brève) ; avoir la vue courte (être myope) ; avoir des vues courtes (des vues limitées) (manquer de lucidité) ; avoir la mémoire courte (avoir oublié). *Grand* – un homme grand (de haute taille) ; un grand homme (important) ; une grande foule (nombreuse) ; au grand jour (en pleine lumière). *Petit* – une petite entreprise (modeste) ; un petit restaurant (petit et sympathique) ; mon petit frère (mon jeune frère) ; le petit jour (l'aube). *Étroit* – une rue étroite (vite traversée) ; une majorité étroite (faible) ; un esprit étroit (borné) ; des liens étroits (serrés). *Large* – une rue large (presque un boulevard) ; un vêtement large (ample) ; avoir les idées larges (être tolérant) ; une personne large (généreuse).

3. – *La hauteur :* a. gigantesque, élevée ; b. élevé, colossal ; c. élancée ; d. dominant ; e. élevée. – *Le poids :* a. pesant, lourd ; b. écrasant ; c. lourde. – *La superficie :* a. étendu ; b. spacieux ; c. infini, illimité. – *Le volume :* a. vaste, spacieuse ; b. volumineux ; c. immense ; d. colossal ; e. énorme ; f. multiples, nombreuses. – *La quantité :* a. innombrables ; b. nombreuses ; c. entassés ; d. multiples, variés ; e. abondante.

4. une *pile* de livres
un *paquet* de cigarettes
un *attroupement* de personnes...
une *file* de spectateurs...
une *foule* de gens...
un *tas* de sable
une *bande* de voyous
un *essaim* d'abeilles

50
Chronologie et durée

1. – *Fêtes religieuses :* Pâques (15 avril)
Ascension (24 mai)
Pentecôte (3 juin)
– *Fêtes civiles ou familiales :* Fête du travail (1er mai)
Fête de la Victoire (8 mai)
Fête des mères (27 mai)
Fête des pères (17 juin)
– *La fête de Sophie Marceau :* le 25 mai.
– *Les ponts :* du vendredi 27 avril au soir au mercredi 2 mai au matin. Du vendredi 4 mai au soir au mercredi 9 mai au matin. Du mercredi 23 mai au soir au lundi 28 mai au matin.
– *Autres renseignements :* l'allongement de la durée du jour ; le cycle lunaire (pleine lune – lune vieille) ; le début du printemps et de l'été.

2.

Fêtes religieuses	Fêtes profanes	Commémorations nationales
Pâques L'Ascension La Pentecôte L'Assomption La Toussaint Noël	Le jour de l'An La fête des mères La fête des pères La fête de la musique La Saint-Sylvestre	Le 8 Mai Le 14 Juillet Le 11 Novembre

3.

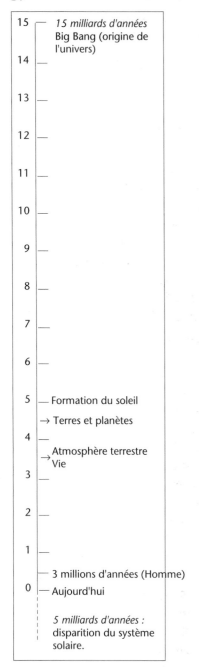

15	*15 milliards d'années* Big Bang (origine de l'univers)
14	
13	
12	
11	
10	
9	
8	
7	
6	
5	Formation du soleil
	→ Terres et planètes
4	
	→ Atmosphère terrestre Vie
3	
2	
1	
	3 millions d'années (Homme)
0	Aujourd'hui
	5 milliards d'années : disparition du système solaire.

4. a)

– *Idée de commencement*
être à l'origine
de …
être né
se former
se constituer
apparaître
commencer
débuter
– *Idée de déroulement*
durer

se développer
aller vers…
– *Idée de fin*
aboutir
se terminer
disparaître

Commencement	Déroulement et durée	Fin
attaquer commencer (à) débuter démarrer entreprendre se mettre à…	continuer (à) (de) se dérouler durer (se) maintenir (se) poursuivre (se) prolonger (se) succéder	(s')achever (s')arrêter (de) cesser finir (se) terminer

b) – La foire exposition *commencera* (*débutera*) le 15 septembre et *se prolongera* (*se déroulera*) jusqu'au…
– La séance de cinéma *débutera* (*commencera*) à 21 h et *se terminera* (*finira*, *s'achèvera*) à minuit.
– Quand l'orchestre *attaqua* (*a attaqué*)…
– … il va *entreprendre* un travail qui *se poursuivra*.
– Les explosions *ont débuté* à 11 h, *se sont succédé* jusqu'à 1 h, *ont repris* vers 3 h et *ont cessé* à 4 h.

51
Changement et transformation

1. Robert De Niro *se transforme* en ouvrier.
Pour *La Valse des pantins*, il *s'identifie* aux participants d'une émission de télé.
Dustin Hoffman *est devenu* clochard.
De Niro *a grossi* pour Raging Bull. Il a grossi de 15 kg pour *Les Incorruptibles*.
Liz Taylor *prend du poids* et *modifie les traits de son visage*
Johnny Weismuller *est devenu* fou…
Bela Lugosi *s'identifie* au personnage de Dracula.
Guy Williams *est devenu* le personnage qu'il jouait.

2. – Il faut la *simplifier*.
– … ce liquide va *se solidifier*.
– Il faut *concrétiser* votre projet.
– … elle *dramatise* tout.
– Il veut tout *monopoliser*.

3. Il faut *adapter* le système scolaire… *développer* la formation professionnelle… *augmenter* le nombre des bâtiments scolaires… *alléger* les programmes… *simplifier* l'orthographe.
Il faut *rénover* les quartiers vétustes, *transformer* les banlieues déshéritées en lieux de vie agréables, *favoriser* les contacts entre habitants, *développer* les actions de solidarité, *rendre* les villes plus *sûres*.
Il faut *moderniser* l'économie et *alléger* les impôts.
Il faut *mieux organiser* et *décentraliser* l'administration, *réduire* les personnels, *donner* leur autonomie aux régions.

INDEX DES MOTS CLÉS

Références photographiques – p 7 h : Sygma, George ; p 7 b : INA, Chevry ; p 12 : Rapho, Windenberger ; p 22 h : Rapho, Refot ; p 22 m : Rapho, Manceau ; p 22 b : Michaud ; p 29 h g : Rapho, Rey ; p 29 h d : Rapho, Yamashita ; p 29 b : Rapho, Windenberger ; p 31 : Carelman ; p 22 h : Rapho, Doisneau ; p 33 m h : Magnum, Zachmann ; p 33 m b : Rapho, Michaud ; p 33 b : Magnum, Burri ; p 43 h : Explorer, Bacon ; p 43 b g : Rapho, Le Diascorn ; p 434 b d : Magnum, Rodger ; p 44 : Roger-Viollet ; p 80 h : Roger-Viollet ; p 80 b : Bulloz ; p 99 : Lauros-Giraudon ; p 105 g : Explorer, Thouvenin ; p 105 d : Rapho, Niepce ; p 110 : Giraudon ; © ADAGP, Chagall, 1992 ; © SPADEM, Léger, 1992

Couverture : François Huertas – Illustrations : Philippe Burel – Recherches iconographiques : Atelier d'Images
Composition et mise en page : CND International – Édition : Corinne Booth-Odot
N° d'éditeur : 10012695 II (OSB 80) — Dépôt légal : août 1992 - Imprimé en France par Pollina, 85400 Luçon - n° 15220